河出文庫

とんでもない死に方の科学

C・キャシディー／P・ドハティー
梶山あゆみ 訳

河出書房新社

とんでもない死に方の科学――目次

とんでもない死に方の科学

ママとパパへ。

——コーディー

ポール・ティプラー教授に捧ぐ。科学を身近で楽しいものとして正確かつ興味深く提示すれば、学生の学ぶ意欲が高まることを身をもって教えてくれた。

——ポール

はじめに

ここだけの話、行きあたりばったりに誰かの死亡記事を読んでいると、つい途中をすっ飛ばして死因を知りたくならないだろうか。なのにちゃんとした説明がなかったり、「不慮の事故」といった曖昧な記述で片づけられたりしていて、もやもやすることも少なくないに違いない。このついてないおっちょこちょいは、冷たい海に落ちて凍ったのか？　それとも隕石の下敷きに？　はたまたクジラに飲みこまれた？　腹の立つことに、そういった情報がいっさい示されていない場合がある。

仮に死因が書かれていて、思わず身を乗りだしたくなる事実が明かされていても（「巨大磁石によって非業の死を遂げた」）、記事はすぐに遺族の話に移ってしまい、「磁力で命を落とすなんてあり得るの？」というもっともな疑問は宙に浮いたまま。なんで一番肝心なところに触れてくれないんだろう？

その苛立ち、よーくわかる。だからぼくらはそれを解消してあげることにした。どれだけ綿密詳細な死亡記事でも教えてくれないことを、本書で明らかにするのである。Tシャツ・短パン姿で宇宙空間に飛びだしたら何がどうなるかも詳しく話してあげよう。ジャンボジェット機でなぜ窓をあけちゃいけないかや、世界最深の海で泳いだらどんな面倒なことになるかも、もちろん説明する。胃袋が拒絶反応を起こさない程度に、真面目な科学とグロテスクな描写を織りまぜるつもりだ。

要するに、スティーヴン・キングとスティーヴン・ホーキングを足して二で割ったような本だと思えばいい。

そういう気持ち悪い世界に分けいってみると、じつは色々と得することがある。思いがけず科学や医学をかじることができるし、サメが近づいてきてまわりを回りだしたらどうすればいいかもわかる（どうせなら中途半端じゃなく、脚を付け根から上手に食いちぎってくれるように仕向けたほうがいい、とか）。

じゃあ、「どう死ぬか」という疑問の答えをぼくらはどうやって見つけたのか。

ひとつには実体験（または検視結果）を踏まえた。たとえば、樽の中に入ってナイアガラの滝から落ちたり、粒子加速器に頭を突っこんだり、睾丸をハチに刺されたりといったことは、実際にやってみた命知らず（もしくは不運きわまりない人）が現に存在する。

当然ながら、そんな体験談が得られないケースもある。ブラックホールに身を投げるとか、世界一冷たい風呂に入るとか、アメリカから中国まで穴を掘ってその中に飛びこむなどは、今のところ試した人が見当たらない。

そうしたテーマについては、軍による研究（一九五〇年代のアメリカ空軍さん、恐ろしい人体実験をしてくれてありがとう）や医学雑誌を参考にしたほか、天体物理学の仮説や、バナナの皮の滑りやすさを調べた教授の研究に当たった。

答えを探る旅は、人間の知識の最前線へとぼくらを連れていってくれた。この本を書くのがわずか二〇年でも早かったら、巨大磁石のせいで絶命することなんて（少なくともこの宇宙では）ないといいきってしまっていただろう。そんなことをしなくてよかった。だって、実際にはちゃんとあの世に行けるし、しかもそれはじつに華々しい最期なのだから。

現代科学で答えが出ていない場合は、推測にも頼った。可能な限り最先端の研究に基づき、これ以上は無理というくらいに正確を期してはいるけれど、推測は推測である。

何がいいたいかというと、そういう「推測のシナリオ」を試してみても（宇宙ステーションからスカイダイビングする、ブラックホールに飛びこむ、火山の火口に落ちてみる、など）、本書の通りの結果にならない可能性があるし、最悪、死ぬことすらできないかもしれない。
そうなったら、心からお詫びする。重版の折に訂正するので、ぜひご一報を。

1　旅客機に乗っていて窓が割れたら

近代的な旅客機で旅をしたことがある？　だったら窓から延々と外を眺めて、きれいな雲や夕日に感嘆したり、地上の絶景に見とれたりしたことがあるに違いない。そしてたぶん、「この窓が割れたらどうなるんだろう」って、ふと不安に駆られたこともあるはずだ。

その答えは飛んでいる高さによって変わってくる。離陸からまだ数分くらいで、高度がそれほどなければ、おそらく大きな問題はない。気絶するまで三〇分は息をしていられるし、気圧差もそれほどじゃないから外に吸いだされる心配もない。多少は寒いだろうが、スウェットシャツを着ていれば大丈夫。

ただし、音は相当にうるさくなる。窓があいて風が通ったら機体は巨大なフルートと化すから、客室乗務員に気づいてもらうのにはかなり苦労するだろう。でも全体でみればけっして悪くはない。高度一万メートルで窓がなくなるより格段にましだ。

旅客機では乗客に息をさせないといけないので、高度二〇〇〇メートル程度に相当する圧力が客室に加えられている。高度一万メートルで横の窓が割れようもんなら機内の気圧はみるみる下がり、それがいくつか厄介な事態につながる。

まず最初に気づくのは、体の穴という穴から空気が吸いだされていくことだ。しかもその空気は湿っているので、凝結して霧となって出てくる。それが乗客全員の身に起きるから、機内には人体霧が充満するだろう。げっ。

幸い、あいた窓から機内の空気がみんな吐きだされるので、霧は数秒で晴れる。そのとき明暗を分けるのが、どの席に座っていたかだ。

通路側の席にいて、窓から二席分離れているだけでも結果はずいぶん違ってくる。外に出ていく風はハリケーン並みのスピードになりはするものの、シートベルトをしていれば飛ばされることはない。なのにあなたは不運にも窓側の席を選んでしまったから、さあ大変。風の勢いは秒速一三〇メートルを超える。どんなにしっかりシートベルトを締めていても、確実に座席から引っこぬかれる[1]（あまり話題にならないけれど、窓側より通路側にしたほうがいい立派な理由のひとつ）。

通路側座席のメリットはそれだけじゃない。旅客機の窓は肩幅より狭い。人体に関するハーバード大学の研究によれば、アメリカ人の肩幅の平均は約四五・七センチ。

一方、ボーイング747の窓は縦長で、その縦の長さも約三八・九センチしかない。つまり、体が窓から完全に吸いだされる代わりに、途中でつかえて止まることになる。[2] 果てしない距離を落下せずには済むわけだ。そしてそれは、ほかの乗客にとってもありがたい状況を生む。あなたの体が穴をふさいだような格好になって、機内から逃げていく空気の速度が落ちるのだ。これで、みんなが酸素マスクをつける時間が稼げる。

それにひきかえあなたは悲惨だ。しかも、その悲惨さはまだ始まったばかりである。新しい環境に放りこまれて、まず驚くのは風にかもしれない。なんたって、秒速二七〇メートル近い猛烈な強風が顔を叩き、体を機体に押しつけて窓枠に「J」の字に巻きつけてしまうんだから。[3]

次に思いしらされるのが寒さ。高度一万メートルの気温はマイナス五四℃ほどしか

1　なぜ数十センチの違いでそれほどの差が出るんだろうか。こんなふうに考えてみるといい。バスタブの栓を抜くと、栓を元の位置に吸いつけておこうとする力は穴に近いほど強くなる。旅客機の窓の場合もこれと同じで、あなたが「栓」ってわけ。

2　ここが現実と映画の違うところ。『007／ゴールドフィンガー』では悪役のゴールドフィンガーが窓からきれいに吸いだされたが、実際には「窓枠にはまって抜けない」という冴えない結末となる。

ない。これくらいの低温になると、あなたの鼻はものの数秒で凍傷になる。
さらにもうひとつ。これはあなた自身がまったく気づかないままに進行するが、たぶん一番命にかかわる事態を招く。何かというと、気温だけでなく気圧が急激に低下することだ。高度一万メートルでは空気がひどく薄いため、生命の維持に必要なだけの酸素分子を一回の呼吸で取りこめなくなる。にもかかわらず、自分が窒息しつつあるという自覚は生まれない。酸素がすごく少なくなっていることを体は検知できないのだ。あの「息が苦しい」という感覚は、血中の二酸化炭素濃度が高くなりすぎたときに初めて生じるもの。だからあなたは何事もないかのように呼吸を続けるが、もちろん何事もないわけがない。一五秒とたたないうちに意識を失い、そして……四分後には脳死に至る。
これは機内に留まっている乗客も同じこと。窓が割れたら、一五秒以内に酸素マスクをしないと気絶する（あなたの上半身がうまいこと窓をふさいでいれば、もう少し猶予があるかもしれない）。それに、じつをいうと八秒しかたっていなくても脳は深刻な酸欠状態に陥って、マスクが必要だという冷静な判断ができなくなる。[4]
ということで、ここまでをまとめると、あなたは肩より上が外に出て、顔は機体側面に何度も打ちつけられ、凍傷にかかって、意識が遠のきつつある。でもまだ死んではいない。それどころか、操縦士がすばやく高度を下げれば生きて帰れるかもしれない。なぜそういいきれるかといえば、実際にそんな事故があったからだ。

一九九〇年六月、ブリティッシュ・エアウェイズ5390便が離陸後に上昇して高度六〇〇〇メートルに近づいた頃、いきなり操縦室の左側のフロントガラスが吹きとんだ。機長のティム・ランカスターはたちまちシートベルトから吸いだされ、体が半分窓の外に出る。固定されていなかったものはすべて窓から飛んでいった。操縦室の扉も外れて装置類に叩きつけられたため、機体は急降下を始める。そのときたまたま客室乗務員のナイジェル・オグデンが操縦室にいて、窓の外に放りだされそうになっている機長のベルトをからくも握った。オグデンはこのときの状況を『シドニー・モ

3　しかも、ただ押しつけられるだけじゃなく、顔が機体に何度も打ちつけられる。これは、旗が風にはためくのと同じ原理が働くためだ。風は一定して吹いているように見えてもさにあらず。おかげで旗は、絶え間ない「変化と調節」の状態に置かれている。あなたの場合も「変化と調節」の結果として、顔が機体をくり返し叩く羽目になる。

4　一九九九年、プロゴルファーのペイン・スチュワートが自家用ジェットの事故で亡くなったとき、まさしくこの通りのことが起きた。スチュワートの飛行機は高度約九〇〇〇メートルでなんらかの不具合により減圧を起こしたが、操縦士たちはすばやく酸素マスクをつけることができず、脳が低酸素状態となって操縦不能に陥った。このとき飛行機は自動操縦モードになっていたためにそのまま二四〇〇キロほど飛行を続け、やがて燃料が切れてサウスダコタ州に墜落した。

ーニング・ヘラルド』紙にこう語っている。

機内の何もかもが外に吸いだされていきました。ボルトで止めてあったはずの酸素ボトルまで飛んできて、危うく頭にぶつかりそうになったほどです。私は必死で機長のベルトにしがみついていましたが、自分自身も外に引っぱられていくのを感じました。そのとき後ろから同僚のジョンが走ってきて、私がいなくなりかけているのを見ると、私のズボンのベルトをつかんで、それから機長のズボンのサスペンダーを私に絡ませたんです。おかげで体が滑っていくのは止まりました。

(中略)それでももう腕の力が尽きてきて、機長の体を握る手がゆるみました。もうだめかと思った瞬間、機長はUの字に折れ曲がって右側のフロントガラスに巻きつく格好になったんです。顔が何度も窓に打ちつけられて鼻……から血が出ていましたし、風にあおられて腕をバタバタと振りまわしていました。

窓ガラスが吹きとんでから一八分後、副操縦士はどうにか機体を着陸させることができた。その間ずっと、窓の外から機長の視線を受けながら。

機長はその情けない体勢から無事救出され、手や指の骨折と凍傷だけで助かった。

あなたの場合は窓のサイズがもっと小さいから、勇敢な乗客の救いの手にすがるまでもないかもしれない。操縦士が迅速に対応してくれさえすれば、多少居心地は悪くても絶景を満喫しながら下りてこられるんじゃないだろうか。

2 ホオジロザメにかじられたら

サメには正々堂々と戦う気なんてさらさらない。捕食動物はみんなそうだ。正々堂々と臨んで怪我でもしたら、たとえそのときは勝ってものちのち動きが鈍り、獲物を仕留められずに腹を減らすことになる。だからできるだけ少ないリスクで、とてつもないご馳走にありつきたいと思っている。そこで恰好の標的になるのが、あなただ。なにしろ動きはのろいし、腕っぷしは弱いし、水の中では目も鼻も利かない。せめてもの救いは味がまずいこと。「海中のリス」とでもいおうか、骨だらけで脂肪が少ないのだ。それでもサメは好奇心が旺盛なので、人を襲うことがある。もっとも、たいていは小型のサメだから、それほど悲惨な結果にはならない。

ただしもちろん例外はあって、大型のサメが攻撃してくることもある。ホオジロザメの場合、大きいもので体長六メートル。「こいつはなんだ?」と試しにひと嚙みされるだけでも、やられたほうはたまったもんじゃない。じゃあ、そもそもサメはどうしてわざわざ人をかじったりなんかするんだろうか。

どうも食欲を満たすためじゃないようだ。犠牲になったばらばら死体を研究者が縫いあわせてみたところ、失われた肉はただのひとかけらもなかった。要は皿の隅にグリーンピースをよける子供みたいなもので、ひと粒だって腹に入れたりしないのである。人間はよっぽどひどい味なんだろう。そのせいで、ちょっとサメにばかにされているに違いない。

でも、それほどまずいんなら、どうして嚙みつくんだろうか。よくいわれるのが、ほかの何かと間違えたというもの。いつものアザラシかと思ってかじってみたら、そうじゃなかったので吐きだしたというわけである。夕食のテーブルで塩と砂糖をとり違えるようなものだ。なるほどという気がしなくもないが、科学的な裏づけには乏しい。確かにサメの目から見れば、サーファーとアザラシでは似ているところがある。だがそれだけでは、ある重要な違いを説明できない。泳いでいる人間を襲うとき、サメはアザラシの場合とやり方を変えるのだ。

海中に餌をまいてそこにダミーの人形を入れ、サメがどう近づいてくるかを観察した実験がある。サメはアザラシを攻撃するときには下からの奇襲でがぶりといくのに対し、この実験ではまずダミー人形のまわりをぐるぐる回った。実際に襲いかかる前に何度も通りすぎて確かめたのである。食べ方にも違いがあって、アザラシの場合なら嬉々として全力で噛みきる。一方、ダミー人形が相手だと、消費期限の迫った牛乳におずおず口をつけるように、探り探りかじって深手を負わせる。

これまでに得られた研究結果を総合するに、ホオジロザメが人間を襲うのは獲物をとり違えたからじゃなく、単なる好奇心によるもののようだ。サメは水圧のわずかな変化で動きを感知することができるし、海水浴客はもちろん動いている。禍々しい背びれを見つけてしまったんならなおのことで、そいつがサメの興味をそそる。そしてどうやらサメというやつは、「疑わしきは噛みつけ」をモットーにしているらしい。[1]

ちなみに、捕食動物にはこうした行動をとるものが多い。ネコを飼っている人なら、この「かじって世界を探検する」という行動はおなじみのものだろう。ただし、飼い猫とサメの決定的な違いは、その噛みつきの強さだ。ホオジロザメのあごの力を精緻に測ったデータはないものの、数少ない実験が指ししめす結論はすべて同じ。「相当に強い」である。少なくともひとつの事例では、ホオジロザメがギロチンさながらに人間をまっぷたつにしている。

じゃあ、以上を踏まえて具体的に考えてみるとしようか。あなたは海でバシャバシャ泳いでいるとき、物見高いホオジロザメの注意をはからずも引いてしまった。

まずは無理からぬことながら、かなり気が動転するだろう。まもなくサメの餌食になるからじゃない。そんな目にあう確率が限りなくゼロに近いからだ。ビーチに出かけるんなら、車に乗りこむ前に階段から落ちてあの世に行くほうが一〇倍あり得るし、ひとたび運転を始めたら、交通事故で命を奪われる確率のほうがよっぽど高い。仮に無事にビーチに着いても、波打ち際に向かう途中で落とし穴にはまって昇天する可能性のほうがずっと大きい。たとえ穴を全部よけて水に入れたとしても、最大の脅威が待ちうけている。溺れることだ。海で溺死する確率は、サメに食い殺される確率の一〇〇倍である。

1　ひと言注意しておくと、これはあくまでホオジロザメの場合。人間の命を奪うのはたいていホオジロザメだが、空腹だからそうしているんじゃないらしい。ヨゴレザメというサメは、意図的に人間を殺して食べた前科がある。ただ、ホオジロザメが海岸付近をうろつくことが多いのに対し、ヨゴレザメが出没するのは人間から遠く離れた外洋だ。そのため、人を襲うのは稀である（被害にあうのはたいてい難破船の生きのこり）。ヨゴレザメの犠牲者のなかで最も有名なのが、アメリカ海軍巡洋艦「インディアナポリス号」の乗組員だ。一九四五年、日本軍が降伏する少し前、インディアナポリスはフィリピン近海で日本軍の魚雷攻撃を受けて沈没した。攻撃を生きのびた乗組員約九〇〇人が海に飛びこんだものの、沈没の事実が軍に伝わるのが遅れて四日間救助が来なかった。すると騒ぎに引きよせられてヨゴレザメが集まり、水兵を餌にしはじめた。生存者が救出されたときにはすでに大勢がヨゴレザメに食われ、その数は最大で一五〇人にものぼったとみられている。

ともあれ、あなたは恐ろしいほどの強運の持ち主で、そうした弾をことごとくかわしたとしよう。そこから一転、不運のどん底に叩きおとされて、あなたの味見をしようとホオジロザメが寄ってくる。

サメは獲物の下や後ろから攻撃するのが好きなので、狙われるとしたら脚だ。それと、サメはあまり食事のマナーがよろしくない。ちゃんと噛まないのである。かじりついたら頭を左右に振ったり、体を回転させたりして肉を引きちぎる。犠牲になった動物の骨を見るとらせん状に歯の跡がついていることからして、サメは骨から肉をこそげ取って丸呑みするのが好きなようだ。

ありがたいことに、人への襲撃事例の七割はひと噛みで終わっている。もっとも、ホオジロザメにひと噛みされてぐいと引っぱられたら、脚が丸ごと一本取れても不思議はないわけだが。ただ、むしろそれが「吉」と出る可能性がある。理由を説明しよう。

脚をかじられた場合、一番怖いのは大腿動脈を切断することだ。一般に、静脈よりも動脈が傷つくほうが深刻な事態につながる。というのも、動脈は心臓からの血液を運んでおり、圧力がかかっている。だから、静脈なら切れても血が垂れてくるだけのところ、動脈の場合は噴きだしてしまう。

しかも大腿動脈は、切断されるととりわけまずい血管の部類に入る。この動脈が脚全体に酸素を送っているうえに、全血量の五パーセント近くもが毎分ここを通っているからだ。

あなたに助かるチャンスがあるかどうかは、サメがどういうふうに嚙みつくかで決まってくる。人間の体は、血液を毎分五パーセントずつ失っても平気なようにはできていない。放っておいたら四分ほどで死に至る。じゃあ、大腿動脈が切れたら長くはないと観念したほうがいいのかって？　いやいや、そうとばかりはいえないのだ。

あなたの大腿動脈には、この文章を読んでいるあいだも若干の張力がかかっている。ゴムひもを引っ張っているようなものだと思えばいい。その状態でサメがスパッときれいに嚙みきってくれれば、伸びていた動脈が跳ねかえるようにして脚の切断面に戻る。そのとき筋肉にはさまれるような格好になると、動脈がうまい具合に閉じることがある。そうなれば失血のペースが遅くなって、止血帯を締める時間が稼げるというわけだ。

ただし、血管がギザギザに切れたり、斜めに切断されたりすると、うまく戻ってくれなくなる。こうなったらあんまりいいことはない。まず三〇秒で意識を失い、そのあとは循環性ショックに陥る。血液不足によって体組織が壊死して腫れあがり、それが血流をふさいでさらにほかの組織の壊死を招くのだ。悪循環にもほどがある。

大腿動脈がギザギザに切れた場合は四分で全血量の二〇パーセントが失われ、あなたは危篤状態になる。心臓が拍動を続けるには最低限の血圧が必要だが、血液が二割もなくなったらその下限を下回ってしまう。あとはものの数分で完全な脳死を迎える。

ここまでの話は、運よくサメが予想通り後ろから襲ってくれた場合。頭や胴体に正面からかぶりつかれる可能性は低いとはいえ、仮にそうなったら始末に悪い。頭がなくなると、困ることがふたつある。ひとつ、中に脳が収まっていること。ふたつ、脚と違って止血帯が役に立たないことだ（首に止血帯を締めたら具体的に何が起きるかは、ウィキペディアの「縊死（いし）」の項目を参照のこと）。

真面目な忠告――首に止血帯を巻くのは絶対にやめよう。

3 バナナの皮を踏んだら

床にバナナの皮が落ちていたら、どれくらい用心すべきなんだろうか。よくある漫画の通りのことが起きるとすれば、答えは当然「十分に」だ。もっとも、漫画は頭蓋骨を頑丈に描きすぎていて、バナナの皮がたいして危なくないかのようにも映る。でも、バナナの皮がきわめて滑りやすいことについては漫画はウソをついていない。あらゆる果物の皮のなかでバナナが一番危険なことは、厳密な科学研究によって裏づけられているのだ。

Aという物質がBという物質の上でどれくらい滑るかを測るには、まずBの水平な土台の上にAの塊をのせ、Bをゆっくり傾けてその角度を徐々に上げていく。Aが動きだす角度を測定し、その正接（タンジェント）値を求めれば、それが摩擦係数だ。摩擦係数は普通、〇（ゼロ）（最も滑りやすい）から一（最も滑りにくい）までの値をとり、摩擦がとりわけ大きいと四になることもある。[1] コンクリートの歩道をゴム底の靴で歩くと、その摩擦係数は一・〇四。つまりほとんど滑らない。

逆のほうはというと、フローリングの床を靴下で滑ったら摩擦係数はたったの〇・二三。その上をいくのが氷で、スケートリンクをゴム底の靴で歩こうもんならなんとも無様なことになる。それもそのはず、氷上のゴムは摩擦係数が〇・一五しかない。[2] 転んで痛い目にあうのも無理はないだろう。

でもそれもこれも全部、バナナの前ではひれ伏すしかない。

なぜそう断言できるかといえば、漫画を検証すべく立ちあがった奇特な科学者がいたからである。東京にある北里大学の教授、馬渕清資博士とそのチームは、大量のバナナの皮をむいてフローリングの床に落とし、それをゴム底の靴で踏んだ（ぜひ事細かな実況中継つきでやってもらいたいもんだ）。そしてそこに働く様々な力を測定した〔訳注　馬渕らはこの研究で二〇一四年「イグノーベル賞物理学賞」を受賞している〕。

その結果、漫画で痛い目をみる奴を「ドジで間抜け」呼ばわりしては気の毒だということがわかった。フローリング上のバナナの皮は、摩擦係数がわずか〇・〇七なのである。これは「ゴム靴＋氷」の二倍以上、「靴下＋フローリング」の三倍以上の滑りやすさだ。だが博士らはここで立ちどまらず、さらなる疑問に取りくんだ。バナナの皮がつるっといきやすいのは、単に水分を含んでいるせいなのか？　ほかの果物の皮でも同じような結果になるのか？

それを確かめるため、チームはリンゴやミカンの皮をむいて同じく厳密な実験を行なった。つまり、そう、踏んづけたのだ。リンゴの皮は摩擦係数が〇・一で、バナナに大きく水をあけられ二位だった。ミカンの皮はずっと滑りにくく、摩擦係数は〇・二二五である（これは果物の皮の落ちていないフローリングの床と同程度の値）。

だから、果物加工工場の中を歩いていて踏む皮を自由に選べるんなら、冗談抜きでバナナの皮だけはやめたほうがいい。圧力を受けるとバナナの皮からはゲル状のものがしみ出し、これがやたらと滑りやすい。あなたの足と体重がその圧力を生み、そのゲル状のものが笑いを生む。

なぜ滑りやすさをこれほど問題にするかといえば、歩くという行為が「倒れては受

1　摩擦係数が一を超えるのは、物質の滑りだす傾斜面角度が四五度より大きい場合だ。これまでに見つかったなかで最大の摩擦係数は、「トップフューエル・ドラッグスター」（最強の加速力をもつレーシングカー）のタイヤゴム。この車が舗装道路上でスピンすると、摩擦係数が四になる（つまり傾斜七五度の壁を登れる）。

2　表面に潤滑剤を塗れば、摩擦はさらに少なくなる。関節をなめらかに動かす滑液などは、いわば世界屈指の潤滑剤だ。摩擦係数は〇・〇〇三しかなく、これはじつにありがたい。じゃないと、指の関節をポキポキ鳴らしたら本当にポキポキ折れてしまう。

けとめる」の連続にほかならないからだ。片方の足を振りだすたびに体は前方に傾き、その足を地面につけて自らを受けとめる。歩行はそのくり返しだ。バナナの皮を踏むと、この「受けとめ」に失敗する。

いくら表面がツルツルしていても、その上にただ立っているだけならたぶん何事も起きない。ところが、足を一歩出したとたんに体は倒れはじめる。それを止めるために、足は前向きの勢いをもったまま接地角度一五度ほどで地面につく。自分の歩いている場所が滑りやすいとわかっていたら、きっとあなたは足の運びを変えるだろう。接地角度を大きくし、床との摩擦を多くして、転ぶリスクを減らそうとするはずだ。なのにバナナの皮ってやつは、本体と逸(はぐ)れるとたいてい人のそばに忍びよってくる。色々な研究から考えるに、摩擦係数が〇・一にも満たない物質の上にいつものように足を踏みだしたら、九〇パーセントの確率で転ぶと考えていい。

転倒すると何が一番危ないかといえば、いうまでもなく脳が傷つくことだ。脳は生命の維持に欠くことができない器官であり、しかも地面からずっと高い場所で暮らしている。人類は四〇〇万~六〇〇〇万年前頃に直立歩行を身につけた。それは大きな前進だったと同時に、滑って転ぶ問題の始まりでもあった。あなたが子犬ほどの背丈なら、倒れても頭部の落下速度はそれほど上がらず、歩道にぶつかっても脳にダメージが及ぶことはない。[3]頭部の打撲がせいぜいだから、いっそバナナの皮の上で踊ったっていいくらいだ。それにひきかえ、一八〇センチの高さから頭を打ったら頭蓋骨が折れる。

大人がなんの防御姿勢もとらずに硬いものの上に転倒すると、頭蓋骨を砕いて余りある力が生じる。多少の個人差はあれ、一メートル程度の高さからであっても頭蓋骨は割れてしまう。この骨は、左右に比べて前後の面が強い。けれど、頑丈な前面を下にして倒れたとしても、一八〇センチの高さからならやはり折れるのは避けられない。勢いがついている場合はなおさらそうだ。

頭部の骨折が危険なのにはいくつか理由があり、なかでも大きいのが出血だ。脳は血に飢えた狼よろしく血液を必要とするのに、頭蓋骨が割れれば内部で大量出血することになる。そうなったら、たちまちあなたは深刻な状況に陥る。

頭蓋骨内部での出血は、ほかのどの部分から血が出るよりはるかに命取りになりやすい。脚と違って絆創膏を貼れないし、頭蓋骨という硬い容器で壊れやすいものを運んでいるところにも問題がある。頭の中が血液でいっぱいになれば、脳は圧迫される。そして酸素が欠乏し、決定的に重要な脳機能も止まってしまう。たとえば、忘れずに

3　この点で人類は昆虫にまったく歯が立たない。なにしろ昆虫の歴史のなかで、転んで死んだものはいないのだ。

息をする、といった機能が。

もちろん、脳のほうも自分が軟弱なことを重々承知しているので、あなたが滑ると自分以外の何か（手でも肘でも膝でもなんでも）を差しだして、転倒の衝撃を弱めようと必死になる。だからこそ頭を割るより尻にあざをつくるほうが多く、バナナの皮が死じゃなく笑いを招くのが普通なのだ。

だが「普通」はそうでも「つねに」というわけじゃない。そこで思いだすのがボビー・リーチ氏。ナイアガラの滝から落ちた命知らずのイギリス人である。

一九〇一年以後、名声やスリルを求めてのべ二〇人ほどがナイアガラの滝下りに挑んできた（そうすると何が待っているかは12章参照のこと）。内五人が死亡し〔訳注 二〇一七年四月にさらに一名が亡くなったので計六人〕、そのほかもほとんどは一度だけで挑戦をやめている（最初の生還者は次のように語った。「これをもう一度やるくらいなら、粉々に吹っとぶのを百も承知で大砲の前に立つわ」）。

ところがボビー・リーチは、スタントマンやサーカスの曲芸師を生業（なりわい）とする恐れ知らず。いわば、からくも死をまぬかれることで生計を立てていたようなものである。この男が一九一一年にスチール製の樽に乗りこみ、滝から落ちた。命は助かったものの、両膝とあごの骨折で半年間の入院生活を余儀なくされた。

その後は自らの体験談を語って人気を博し、樽と一緒に世界を巡っては、ポーズをとって写真に収まるような生活を送る。だが一九二六年にニュージーランドへ行ったとき、オークランドの歩道で果物の皮を踏んで滑り、脚に深い裂傷を負った。そして数か月後、リーチはその合併症で息を引きとった。

4 生きたまま埋葬されたら

あごと首の境目の窪んだところで頸動脈を探し、そこに指を二本当てると脈が測れる。だいたい一分間に七〇回前後だ。今試してみて二六回を下回っているようなら、この章を読みおえるころには救急車の中だと覚悟したほうがいい。

何も感じないとしたらたぶん指の位置を間違っているからだし、間違っていないとしても死んでいるとは限らない。脈が弱すぎてわからないケースは実際にある。[1]中世の医者にとって、これは厄介の種だった。なにしろ脈は、患者が生きているかどうかを確かめるほぼ唯一の手がかりだったのだから。[2]そのため、昏睡状態に陥った患者が死亡を宣告され、死体安置所で目を覚ます、なんてことがときどき起きた。じきにみんなは不安になり、安心できる方法で埋葬されたがるようになる。墓の上に鐘を吊るし、それを鳴らすひもを棺の中にまで伸ばしておくのである。[3]

現代の医師はもっと高度なやり方（心臓と脳からの電気信号を調べる）で生死を判断してはいる。でも、あなたの主治医が早い時間にディナーの予約を入れてしまい、いくつかの手順を省いたとしよう。医師は死亡診断書に署名をし、コートをつかんでタクシーに飛びのる。あなたはといえば、台車つきの担架で搬出入口へと運ばれ、遺体搬送車に乗せられて死体安置所に向かう。それから地面に掘られた穴に入るわけだが、じゃあそのあとはどうなるんだろうか。

気密性のある棺に納められた瞬間から、あなたは棺内の酸素を使いつくしていく。

1　たとえば、睡眠麻痺（いわゆる「金縛り」）になった場合がそうだ。眠っているあいだには全身が脱力している段階があり、それは別に異常でもなんでもない。ところが、脳が間違えてそのときに覚醒してしまうと、筋肉のスイッチが入らずに体を動かすことができなくなる。この状態は平均して誰もが一生のうちに一度は経験するといわれ、普通は一分とたたずに終わる。けれどこれが一時間も続く場合があって、それが救急救命士を惑わせる。ある女性はその状態がなかなか解消せず、死体安置所でようやく体を起こすことができた。

2　もうひとつの確かめ方は、口の近くに鏡をもっていって、それが曇れば息をしているというもの。「とりあえずどうにか生きている」ことを英語で「able to fog a mirror（鏡を曇らせることができる）」と表現するのは、ここからきている。

3　作家のエドガー・アラン・ポーもそうしたひとりだった。生きたまま埋葬されることに対し、ポーは異常なまでの恐怖を抱いていた。

一般的な棺には九〇〇リットルの容積があり、あなたがそのうちの八〇リットルを占めるとすると残り八二〇リットル分の空気が存在する。一回の呼吸につき肺は〇・五リットルの空気を取りこむものの、酸素はその二割くらいしかない。だから、酸素が完全になくなるまでには同じ空気を何度か吸うことができる。

もちろん、酸素が底をつかなくても面倒なことはちゃんと訪れる。人間が笑顔でいられるのは酸素濃度が約二一パーセントのときで、その比率が下がっていくとすぐに問題がもちあがる。一二パーセントまで低下すれば脳細胞に酸素が行きわたらなくなり、頭痛、めまい、吐き気、意識の混濁といった症状が現われる。

六時間程度は生きられるくらいの酸素が中に入っているとはいえ、それはあくまでおとなしくじっとしていたらの話。息を止めたほうが酸素の節約になると思うかもしれないが、逆に酸素消費量が増えることになるのでご注意を。血中にたまった二酸化炭素を相殺しようとしすぎて、必要以上に大きく息を吸いこんでしまうからだ。抑えた呼吸をゆっくり続けるのをおすすめする。

酸素濃度が一〇パーセントにまで落ちたら、なんの前触れもなく意識を失ってすぐに昏睡状態に陥る。[4]六〜八パーセントになれば、突如としてあの世行きだ。

で、がぜん面白くなるのはここから。そして、いささかややこしくもなる。あなたを殺したがっているのは酸素の欠乏だけじゃない。呼吸のたびに棺内の酸素が二酸化炭素に置きかわっていき、そいつもあなたの命を虎視眈々と狙っているのだ。[5]
二酸化炭素を取りこみすぎるとそれが赤血球と結合するため、体組織に運ばれるはずの酸素の量が減る。そのせいで、重要な臓器がいわば窒息してしまう。空気中の二酸化炭素濃度は普通は〇・〇三五パーセント。ところが、気密性のある棺の中ではその数値がたちまち上昇していく。二〇パーセントを超えたら二〜三回息をしただけで意識を失い、ものの数分で死に至る。

そこにいくまでのあいだには中枢神経系が冒され、意識の混濁や譫妄といった状態が現われる。ひょっとしたら棺の中に幽霊が見えるかも？

あなたの命に引導を渡すのは、増えゆく二酸化炭素か、はたまた減りゆく酸素か。なかなかの接戦がくり広げられるものの、最終的には吐いた息が命を奪うことになる。二酸化炭素が致死的な濃度に達するには二時間半もあれば十分で、棺内の酸素が尽き

4　質問――鉢植えの植物も一緒に棺に入れてもらうのはどうでしょう。酸素を増やす効果はありますか？　答え――残念ながらそううまくはいきません。鉢植えがあるせいで空間が失われ、その分、酸素も少なくなります。それを埋めあわせられるほど、植物は迅速に酸素をつくりだせません。

5　アポロ13号の宇宙飛行士たちが月着陸船への避難を余儀なくされたあと、直面したのがこの問題だった。

るよりもずっと前にとどめを刺せるのだ。

これでも死に方としてはずいぶんましなほうである。何かの理由で墓掘人がものすごく急いでいて、棺に入れる手間をすっ飛ばしてしまったらあなたはえらい目にあうだろう。もしかして、むしろそのほうがいい、なんて思っていたりはしない？ 棺がないほうが、逃げだせるんじゃないか、って。ところがどっこい、実際にはずっと速く最期が訪れる。

深さ二メートルほどの土に埋まるのは、セメントで体を固められるようなもの。胸にかかる土の重さは二三〇キロほどにもなる。手っ取り早くいえば、絶対に逃げだせない。どんなゾンビ映画を観てきたかは知らないが、墓が空っぽになっていたら外から誰かが掘りだした以外にないのだ。

ただ、この埋まり方も悪いことばかりじゃない。すぐには窒息しないのである。体内のほとんどの筋肉には二〇〇キロ超を跳ねかえせるだけの力がないものの、横隔膜は違う。そこが重要なポイントだ。横隔膜を動かして土をもちあげて、肺をふくらませられさえすれば物理的には呼吸ができる。あいにく、吸えるものがあまりない。

土じゃなく雪崩で生き埋めになった場合、命が助かる確率は一時間ごとに半分になる。つまり、一時間埋まっていたら確率は五〇パーセント、二時間なら二五パーセント、という具合に。ところが、土の場合はこの減り方がもっと大きくなるとみられている。雪は九〇パーセントが空気なのに対し、土はほとんどが土だからだ。どっちの場合も、腕をうまく使ってエアポケットをつくれるかどうかが鍵を握ることになる。もっとも、生きながら墓に入れられる心配自体が杞憂なのかもしれない。実際は墓までたどり着くずっと前に幕が引かれてしまうからだ。怠け者の医者以上に命取りなのが、死体安置所で施される処置。アメリカでは埋葬する前の防腐処理として、ホルムアルデヒドを体内に注入して血液と置きかえる（まさに世界最悪の輸血）。そして痛ましくもあなたの息の根を止めるわけだが……むしろそのほうが慈悲深い最期なのかもしれない。

5 ハチの大群に襲われたら

マイケル・スミスはコーネル大学の大学院でミツバチの研究をしていた。ある日、巣箱の世話をしていたとき、一匹の大胆なミツバチが短パンの裾から入ってスミスの睾丸を刺した。

意外にも、恐れていたほど痛くなかった。そこで疑問が浮かぶ。刺されて最悪の場所がここじゃないんだとしたら、いったいどこなんだろう？

確かな答えを得るには、意図的に何百回も刺されるしかない。だが調べてみたら、好きこのんでそんなことを試した人間はただのひとりもいなかった。スミスは愕然とする。

そして思った。これこそが自分に与えられた使命だと。やがて日々の新しい習慣が始まる。

毎日、午前九時から一〇時のあいだに五回、スミスはピンセットで慎重にミツバチをはさみ、自分の皮膚に押しつけて刺させた。最初の一回と最後の一回は、比較の基準とするためにかならず前腕部である。ここへの痛みが一〇段階評価の「五」だ。途中の三回については、その日選ばれた不運な部位が対象となる。スミスは三か月のあいだに合計二五か所を試した。え？　「睾丸だけじゃ飽きたらずにほかの場所も試したのか⁉」って？　ええ、そうなんです、まさにその通り。

実験の結果、刺されても一番痛みが少ないのは頭頂部と、足の中指と、上腕部だとわかる。いずれもスミスの一〇段階評価でわずか二・三。それより少し痛いのがお尻で、評価は三・七だ。

痛みがとりわけ強かったのは陰茎と、上唇と、鼻の穴の内側だった。

「苦痛と快楽は紙一重」なんていうのは、ハチを押しあてたことのない人のセリフだとスミスは気づく。「あそこに関しては、陰部に苦痛と快楽を混同することなんてあり得ませんよ」と『ナショナルジオグラフィック』誌に語ったほどだ。それでも無理やりどちらかを選ぶなら、マスクをしないよりパンツを穿かずにハチの世話をするほうがまだましだとスミスはいいきる（どっちも楽しくはなさそうだとのことだが）。「鼻の穴の内側への一撃は飛びぬけて強烈です。体に電気が走って脈打ったようになり、すぐにくしゃみが出て、涙と鼻水が止まりませんでした」

それも無理はない。スミスの評価によれば（あいにくスミスの評価しか存在しないのだが）、陰茎の軸部は七・三、上唇は八・七、そして最悪は鼻の穴の内側で九・〇にもなった。

ここで、あまり知られていない事実をひとつ。「ミツバチのひと刺しはさらなる襲撃を招く」。ミツバチが刺すとフェロモンが放出され、その匂いがほかのハチの援軍を呼ぶのである。ちなみに、このフェロモンの主成分は酢酸イソアミルという物質で、バナナのような香りがすることからキャンディなどの香料にも用いられている。ついでにいうと、南ドイツの「ヘーフェヴァイツェン」という白ビール（小麦を多く配合したビール）はバナナに似たフルーティな芳香を特徴とするが、それは醸造の過程で酢酸イソアミルが自然に生成されるからだ。いいかえれば、ミツバチの巣箱の近くをうろつく予定があるなら、バナナ味のキャンディやバナナ風味のビールは控えたほうがいい。

この忠告を無視するとどうなるか。巣箱のミツバチは仲間の一大事と色めきたち、怒りに燃えて救出に駆けつける。ミツバチの針にはギザギザの「返し」がついているため、皮膚に刺さるとなかなか抜けない。だから、ハチの本体は飛んでいっても（あるいはいこうとしても）針は残る。そのときに器官の一部を失うためにハチは死ぬ。まさに自然界のカミカゼ特攻隊だ。[1]

たとえ体から外れても、針は返しを前後に動かしながら皮膚に食いこんでいき、針の基部の袋から毒を自動的に送りこむ。

ミツバチの毒もほかの昆虫の毒も、作用はほとんど同じ。細胞に入りこんで正常な化学反応を変え、自分に都合のいい環境をつくるのである。

あなたの場合、ミツバチの毒はメリチンという化学物質で細胞膜を溶かして侵入する。このメリチンは、ホスホリパーゼA2という細胞破壊爆弾を背負っている。ターゲットが血液細胞ならそれを壊し、神経細胞なら誤発火を起こさせ、それが強烈な痛みとして脳に解釈されるわけだ。

ほかにも様々な化学物質が体の機能をむしばんでいく。ある物質は血流を制限して、毒が薄まらないようにする。痛みが持続するのはこのためだ。別の物質は体組織内に橋のようなものを架けて、毒を広げやすく、また新たな細胞を狙いやすくする。

1　ミツバチにとってはひと刺しするだけで命取りなので、大型の捕食動物との対決に備えて伝家の宝刀をとっておく。比較的小型な天敵、たとえばオオスズメバチ（甘党でハチミツに目がない）が相手の場合、ミツバチは一風変わった必殺技をもっている。オオスズメバチが巣に侵入してきたら大挙してスズメバチをとり囲み、密集したボール状になるのだ。そして体の熱による熱殺と、吐きだす二酸化炭素による窒息という、ダブルパンチをお見舞いする。

鼻の穴の内側への一撃が一〇段階評価の九だとしても、昆虫全体でみればミツバチの痛みよりもまだまだ上がある。そこで登場するのが、このテーマに関するもうひとりの権威。「痛みの詩人」ともいうべきジャスティン・O・シュミットだ。シュミットはアリゾナ大学の昆虫学者である。シュミットが編みだした評価法によれば、ミツバチのひと刺しは四点満点中のわずか「二点」。シュミットが二点だというからにはそれなりの裏づけがある。なにしろ約一五〇種の昆虫に自らの体を刺させ、痛みの微妙な違いを味わいわけられるようになったんだから。そして、世界初の「刺されると痛い昆虫ベストテン」を発表するに至った。

一〇位にランクしたのはコハナバチで、痛さレベルは四点満点中たったの一点。この痛みをシュミットはこう表現している。「軽く、儚(はかな)く、ほとんどフルーティー。ごく小さな火花が腕の毛一本を焦がしたような感じ」

ホオナガスズメバチ、イエロージャケット〔訳注 北米に分布する小型のスズメバチの通称〕、ミツバチはどれも二点で、それぞれ七位、六位、五位に入った。ホオナガスズメバチの痛みに浴する機会がまだない方のためにご紹介すると、「濃厚で力強く、少しパリパリとしていて、回転ドアに手をはさまれたときに似ている」のだそうだ。

イエロージャケットによる痛みはといえば、「熱くて煙い。非礼といいたくなるほど。W・C・フィールズ〔訳注 二〇世紀前半に活躍したアメリカの喜劇俳優。劇中で葉巻を小道具に使うのを好んだ」があなたの舌に葉巻を押しつけて消したところを想像するといい」

アメリカ南西部に分布する収穫アリは四位にランクイン。これに刺されたときの痛みは四点中三点で、「大胆不敵で容赦がない。肉に食いこんだ足の爪をドリルで掘りおこされているかのよう」

第二位に入ったのはオオベッコウバチだ。これはアメリカを含む世界の様々な地域で見られるが、人間を刺すことはめったにない。[2]でもあなたが運に見放されていると、次のような経験をする羽目になる。「体に電流が流れたような、強烈で衝撃的で、目もくらむような痛み。泡風呂でくつろいでいるときに、スイッチの入ったドライヤーを浴槽に投げこまれたかのよう」

そして「世界最悪のひと刺し」の栄冠に輝いたのが、知る人ぞ知るサシハリアリだ。

2　オオベッコウバチが狙うのはもっぱらオオツチグモ（通称タランチュラ）だ。まずオオツチグモを刺して体を麻痺させ、その体内に卵を産みつける。幼虫が孵化するとクモの内部を餌にして育つわけだが、大事な器官には手をつけないでなるべく宿主を長く生かしておこうとする。やがて時がくると、若いハチがクモの腹を食いやぶって外に出てくる。映画『エイリアン』も真っ青だ。いくら嫌われ者のタランチュラとはいえ、さすがにこれはあんまりだと同情したくなるんでは？

このアリは中米から南米にかけての熱帯地方に生息している。これがオオベッコウバチを上回ったのは、痛みが強いだけでなく長く（約二四時間）続くからでもある。シュミットによれば、サシハリアリにやられたときに待っているのは……「激烈で混じりけのない、目から火が出るような痛み。長さ八センチの錆びた釘を踵に打ちこんだまま、燃える木炭の上を歩くようなもの」〔訳注　このほか、九位はヒアリ、八位はアカシアアリ、三位はアシナガバチ〕

ただし、サシハリアリは大群で人を襲うことはないので、痛さでは一番にせよ「最も危険なひと刺し」ではない。その称号が与えられるべきはやっぱりミツバチだ。人は体重一ポンド（約四五四グラム）あたり八〜一〇回刺されると死に至る。ミツバチは一回刺しただけで絶命するので、あなたの体重が一八〇ポンド（約八二キロ）なら、一五〇〇匹くらいにやられると神経毒で心臓が止まる（いうまでもないが、アレルギー体質だと一匹だけでアウトになってもおかしくない）。

とはいえ、一五〇〇匹というのはあくまでも目安。何事にも例外はつきもので、もっと多かったのに無事だった人もいる。ある男性などは毒針が二二〇〇本あまりも刺さっていたのに、見事に生きのびた。この男性はミツバチの大群に襲われ、その猛攻を回避しようと水に潜った。ところがついてないことに、ハチの群れは水の上に留まっていて飛びさってくれない。だから、男性が息継ぎのために浮かびあがったときには、空気と一緒にハチも飲みこまざるを得なかった。

命が助かったのは、一斉にじゃなく数分にまたがって刺されたおかげだろう。それでもミツバチの気が済んだときには、男性の顔は毒針に覆われて真っ黒になっていた。

それって、スミスの一〇段階評価でいったらどれくらいの痛さなんだろうか。

6 隕石が当たったら

今度星を眺めるときには、夜空でひときわ明るい天体に目をこらしてみてほしい。月を除けば、一番は金星のはずだ。それよりもっと強い光を放つものがあれば、目を離さずに追おう。もしかしたら厄介なことが起きるかもしれない。その天体が月よりも、それから太陽よりもまぶしくなったら、間違いなくまずいことになる。隕石[1]がまっすぐあなたに向かって落ちてきているのだ。こうなったら、頭から何かをかぶろうが、しゃがみこもうがもう手遅れ。ゆっくりくつろいでショーを楽しんだほうがいい。

猛スピードで飛んでくるその宇宙の岩が直径一・五キロ程度だとしよう。それくらいなら、甚大な被害は出るにしても地球が滅びることはない。

あなたの目からは、星がしだいに明るさを増していくように見える。まず、全天で最も明るい恒星（シリウス）をしのぎ、金星をも上回り、月よりも輝いたかと思ったら……意外にもあなたはあの世に行っている。

なぜ「意外」かといえば、たぶんもう少しは長く生きられると思うはずだからだ。もしかして、隕石に押しつぶされる最期を想像していた？　ところが、実際には隕石にぶち当たられる数十秒前にあなたの命は尽きる。

隕石が地球に向かってくる速度が時速四万〜二六万キロくらいだとすると、大気にぶつかったときに空気自体を圧縮する。圧縮された空気は熱を帯びる。あなたは気づいていないだろうが、自転車のタイヤに空気を入れるときも、じつはタイヤ内の空気は若干温度が高くなっている。[2]　隕石がやっているのもこれと同じだ。ただ、その空気の量がはるかに多く、圧縮が短時間に進むところが違う。

このおかげで、隕石はあなた専属の太陽も同然になる。周囲の気温は、快適な二〇℃から灼熱の一六〇〇℃へとものの数秒で急上昇だ。これだけの高温では、体が湯気

1　この現象をめぐる用語はややこしい。夜空に光が線を描いたものは「流星」であり、その光の元となる固体物質は「流星体」で、それが地面に落ちてくると「隕石」と呼ばれる。面倒なので、本章ではすべて「隕石」とする。
2　自転車の空気入れポンプを改造したような発火具に、「ファイヤー・ピストン」というのがある。ピストンで空気を圧縮し、空気を高温にしてキャンプの火をおこすという仕組みだ。

を噴いて黒くなりはしても、発火するほどの時間はたぶんない。

一六〇〇℃のオーブンにずっと放置されたとしたら、いずれ体はガスと化して漂っていく。でも喜んでほしい。隕石が上にドサッと落ちてきてくれるので、その高熱にさらされるのは数十秒程度で済む。ということは、少なくともあなたの何がしかは残るわけだ。炭一個かもしれないにせよ。

それでも悪いことばかりじゃない。「隕石で死んだ最初の人間」という称号を得られるんだから。もっとも、「隕石に当たった最初の人間」にはなれない。その栄誉に浴するのは、記録が残っている限りアラバマ州のアン・ホッジズだ。一九五四年、アンが自宅のソファでうたた寝をしていたとき、メロン大の隕石が屋根をつき破って落ちてきた。そしてラジオを破壊し、アンの腰にぶつかって派手なアザをつくった。

確認されている二例目の被害にあったのは、ニューヨーク州に住むミシェル・ナップの車である。一九九二年、ガレージからすごい物音がしてミシェルが慌てて見に行くと、三〇〇ドルで手に入れたばかりの一九八〇年製シボレー・マリブのボンネットが壊れていた。犯人は、年齢四四億歳、体重約一二キロの宇宙の岩である。[3]

アンにとってもミシェルにとっても、人類全体にとってもラッキーだったのは、隕石がけっこう小さかったこと。隕石が地上まで到達するには、こぶし大くらいはないといけない（それより小さいと大気圏内で燃えつきてしまう）。でも、こぶし大程度じゃたいして重くないので、大気が落下を遅らせて時速一六〇キロほどにしてくれる。こぶし大の隕石が近くに落ちたら、むしろいいことしかない。一グラムあたり数ドルで売れるんだから。[4]

わりと最近の事例で最大の隕石は、一九〇八年にロシアのツングースカに落下したものだ。直径は約一〇〇メートル。その破壊力は広島型原子爆弾の約三〇〇倍と推定されている。このとき、記録に残っている限り最もすさまじい音が轟きわたり、六〇キロあまり離れた地点でも耳をつんざくほどだったという。シベリア北部に落ちたおかげで誰も死なずに済んだものの、およそ八〇〇〇万本の樹木が衝撃波でなぎ倒され、落下地点から六〇数キロ先にいた農夫は爆風で吹きとばされた。

仮に直径一・五キロ級の隕石が降ってきたら、たとえ真下にいなくてもこれよりははるかにひどいことになる。隕石が低い角度で大気圏に突入してきたとしたら、頭上を飛びながら下にあるものをことごとく火の海にし、地上には焼けこげた道が残るだろ

---

3 ミシェルにとっては最悪の日となったが、状況はたちまち上向いていった。壊れた車が一万ドルで、隕石が六万九〇〇〇ドルで売れたからである。

4 その隕石が運よく月か火星から飛んできたんであれば、一カラット（二〇〇ミリグラム）あたり数百ドルで売れるだろう。小惑星帯からのものはありふれているので、ずっと低い値しかつかない。

う。

次に来るのが衝撃波だ。直径一・五キロ級の隕石だったら、燃えながら大気圏を落ちてくるあいだにたぶんいくつかに分裂する。それでも、個々の断片が地面に衝突するエネルギーを合計すれば、丸ごと落下した場合と変わらない。具体的にいうと、五〇万メガトンの爆弾と同等だ（史上最大の水素爆弾だって五〇メガトンである）。

じゃあ、これが海に落ちたら？　白熱の火の玉は超音速で飛んでくるので、水の抵抗があってもほとんどスピードをゆるめない。すぐに海底に激突し、津波が発生する。これほどの大きさの隕石ともなれば第一波の高さは三〇〇メートルを超え、マッハ一の速度で進むだろう。[5] そのあとはもっと高い波が続き、高さが最大になるのは第一波の数分後。隕石によって追いだされた水が、クレーターに向かって戻ったあとにやって来る。[6]

このように、信じがたいほどの被害がもたらされるのは間違いないものの、地球の生物を根絶やしにするとまではたぶんいかない。塵や煙が立ちこめて地球が寒冷化し、広範囲にわたって不作や飢饉に見舞われはしても、人類が全滅するようなことにはならないはずだ。

とはいえ、隕石の落下がいかに危険かを考えて、早期発見のために莫大な資金が注ぎこまれている。ただ、うまく見つけられたからといって手の打ちようがあるわけじゃない。私たちに運があれば、実際に落下するまで一～二年の猶予があるだろう。だが運が悪くて、隕石が思いも寄らぬ角度から大気圏に入ってきたら、地球を滅ぼすかもしれない物体と何の前触れもなくご対面することになる。だから、次に星空を眺めるときにはそのことをゆめゆめ忘れないように。頭上の星が明るさを増してきたら、わあきれい、なんていってる場合じゃないのだ。

5　悲しいかな、サーフィンをするには速すぎる。

6　これだけの津波が起きたらどれだけの被害が生じるのか、見当もつかない。二三〇〇年前の大西洋に直径一五〇メートルあまりの隕石が落下しただけで、現在のニューヨーク市が水没するほどの津波が起きたとみられているのだ。

7 首がなくなったら

脳が頭からひったくられたら、あなたは生きてはいられない。医者は脳からの電気信号を測定して生死を判断するのであり、脳がなくちゃ信号も出ないわけだから、当然ながらそこでおしまい。少しも意外じゃない。

意外なのは、どれくらいなら脳を失っても人間として機能できるかだ。あなたはたぶんこう思っているんじゃないだろうか、「脳はものすごく大事だ」って。でも忘れないでほしいのだが、そんなふうに思っているのはあなたの脳だ。公正無私な情報だっていいきれる？

それはさておき、人間じゃなくてニワトリだったら脳なんて取るに足らないものだし、頭がそっくりなくなったって生きていられる。なぜそういえるのかって？　だって「首なし鶏マイク」がいたじゃないか。

ニワトリのマイクは一九四五年にコロラド州フルータで生まれた。その年の九月一〇日、マイクは夕食の皿にのるべく首を刎ねられた。所有者であるロイド・オルセンという農夫が、裏庭に連れていって斧で切りおとしたのである。ところが、驚いたことにマイクは怪我をものともせず、それまでとまったく変わりなく暮らしつづけた。地面からせっせと餌をついばみながら（少なくともそういう仕草を見せながら）。マイクは見世物として一年半のあいだアメリカ国内を巡業し、最後は餌をのどに詰まらせて息絶えた（むき出しの食道にじかに餌を与える給餌用のスポイトをオルセンが忘れたのが原因）。どうして斧の一撃で絶命しなかったんだろう。

ユタ大学の研究者が調べたところ、首は間違いなく完全に断ちきられていた。ただし、マイクの脳幹はほぼそのまま残っていた。脳幹は、生命維持に欠かせない機能をコントロールしている。たとえば心臓の拍動や呼吸、睡眠や摂食・嚥下などだ。それって、要はニワトリがやっていることのすべてじゃないだろうか。だから、ひとたび頸動脈が血液の塊でふさがれて失血死をまぬかれたら、マイクは誰憚ることなく自分の日常に戻っていけたのである。[1]

ニワトリであれ人間であれ、脳幹は休むことなく大事な仕事をこなしている。これがなければ呼吸もできないし、心臓の拍動を制御することもできない。その点は間違いないのだが、脳のほかの部分がダメージを負ったらどうなるかは、そこまではっきりとは予測しにくい。脳は柔軟に変化する性質をもっているので、傷ついていない脳領域に仕事を移すことができる。また、右脳と左脳に分かれているため、損傷がどちらか片方に限定されていれば、ぎょっとするようなダメージを負っても脳はもちこたえる。それを示す絶好の例がフィニアス・ゲージだ。

一九世紀前半、鉄道建設の現場では安全基準がいささかルーズだった。発破担当の作業員のあいだではなおさらそうである。ゲージもその一員だ。当時は、岩に穴を掘って火薬を入れ、直径約三センチ、長さ約一メートルの鉄の棒で突き固める仕事をしていた。

本来なら、発火を防ぐためにそこに少量の砂も加えないといけない。ところが一八四八年九月一三日、ゲージはその手順を怠った。砂なしで火薬を棒で突いたら爆発が起き、鉄の棒が吹きとんだ。棒はゲージのあごを貫き、左目の後ろを通って左脳を抜け、頭頂部から飛びだして数百メートル先に落ちた。

そんな目にあってもゲージは一命を取りとめたばかりか、意識を失うことすらなかった。そして一か月後にはほぼ完全に回復する。ただし、性格が変わったらしきことに友人たちは気づく。棒が頭を突きぬけてからは、以前より怒りっぽくなったのだ。事故のあとでゲージは鉄道会社をやめ、棒と一緒に各地を回ったり、色々な土地で働いたりしながらその後も一二年間生きた。

いうまでもないがゲージは運がよかったのだ。棒による損傷は脳の左半球だけに留まっていた。そして脳の重要な機能というのは、もう片方の半球に予備が備わっていることが少なくない。つまり、棒を脳に貫通させてみたいなら、前後ないし上下の方向に棒が通るようにして、片方の脳半球だけを壊すのがおすすめだ。耳から耳へと左右に打ちぬいて、両方の半球を傷つけるよりはるかにましである。

そもそも、脳のかなりの部分はたいしたことをしていないように思える。そうとまではいわないにしても余分や重複が存在するのは事実で、それがゲージが死なずに済んだもうひとつの理由だ。脳のダメージが時間をかけて進行した場合には、ゲージよりもっとたくさんの脳組織を失ってもまったく平気なこともある。それを明らかにしたのが、イギリスの神経学者ジョン・ローバーだ。

一九七〇年代の終わり、ローバーがシェフィールド大学の教授になったとき、ある非常に優秀な学生の頭が異様に大きいのに目を留める。その学生にCATスキャンで

1　あなたの首がたたき切られたらどうなるか。ラットを使った実験を踏まえるに、約四秒間は意識を保っていられそうだ。でも大量の失血によって血圧が下がり、「熱い浴槽から急に出た」ような状態になって意識を失う。

の検査を勧めると、ひとつの問題が明らかになった。学生にはほとんど脳がなかったのである。脳であるべき場所の九五パーセントが脳脊髄液で埋めつくされ、灰白質の薄い層が頭蓋の内側に貼りついているだけだった。

こうした状態自体はさほど珍しいものじゃない。「水頭症」と呼ばれ、うんと平たくいうと脳の配管が詰まっている。そのせいで液体（脳脊髄液）があふれ、それが脳を徐々に外側に押していく。でも、これが幼いときに起きると骨がまだ柔らかいため、圧力のせいで頭蓋骨も一緒に広がる。それで帽子のサイズが大きくなるわけだ。

ただ、この学生には注目すべき点があった。知能指数（IQ）が一二六だったのである（平均値は一〇〇）。ついIQテスト自体に疑いの目を向けたくなるかもしれないが、まあそれは置いておこう。大事なポイントは、こと脳に関しては大きさはあまり関係ないという点だ。[2]なにしろ、私たちの頭には三ポンド（約一四〇〇グラム）の脳が詰まっているのに、この学生は四分の一ポンド（クオーターパウンダー）（約一一〇グラム）で見事な成績を収めていたんだから。

科学者は一時期、脳の大きい動物ほど賢いと考えていた（そして脳が最大なのは人間だと）。ところが、誰かがゾウの頭の中を覗いて脳が五〇〇〇グラムあまりあるのに気づき、その仮説は修正を余儀なくされる。だったら、知性にかかわるのは「脳が体重に占める比率」なのでは？　その説はずいぶんよさそうな気がしたが、別の誰かが計算してみたらヒトは野ネズミ並みだった。

結局、知性を左右するのは脳のサイズじゃなく、中にどれだけの神経細胞が入っているかなんだろう。脳の大きさで動物の知性を推しはかるのは、コンピュータの大きさで性能を判断するのと変わらない（今ポケットの中にある携帯電話の処理速度は、部屋いっぱいを占めた一九六〇年代のコンピュータより圧倒的に速いのをお忘れなく）。

つまり、いつかエイリアンが地球を侵略してきて、そいつらの脳みそが豆粒大だったとしても、けっして侮（あなど）っちゃいけない、ってこと。

2　もうひとついえるのは、「白質」と呼ばれる脳の内側の部分（これがこの学生にはほぼ完全に欠如していた）は外側の灰白質ほど重要じゃないということ。だから、脳を少し減らしてみたいなら、真ん中あたりからすくい出すといい。

8 世界一音の大きいヘッドフォンをつけたら

世界一大きな音の出るヘッドフォンをつけて、ボリューム最大でヘビメタを聞いたらどうなるだろうか。頭蓋がガタガタ揺れだして脳が液化する？

ありがたいことに答えはノーだ。一九〇デシベルのヘッドフォンだとすれば、鼓膜が瞬時に破れて耳が一生使えなくなりはしても、音楽が伝えるエネルギーごときで脳はびくともしない。

ただし、体のほかの器官も同じとはいかない。ヘッドフォンを外してスピーカーで聞いたら、全身が音にさらされることになる。そして、音波で傷つきやすい部位は鼓膜だけじゃないのだ。

その話に移る前に、まず音楽を聞くと何が起きるかを押さえておこう。音とは、連続した圧力の波が空気中を進んでいくものだ。その圧力波を音楽と解釈できるのは、耳の中でいわゆる「ピタゴラ装置」のようなからくりが次々に作動するからである。空気の振動は鼓膜→小さな骨→液体→膜→毛と伝わっていき、そこで電気信号に変換され、神経を通って脳へ運ばれていく。

音から出る圧力波の圧力が高いほど、鼓膜や耳小骨（じしょうこつ）をより強く振動させ、音が大きく感じられる。圧力の波なのだから、ダメージを与えられるというのもうなずけるだろう。[1]最も危険な音は衝撃波から生まれる。衝撃波は、爆発などの重大な事象が起きて、空気の圧力が一気圧（一〇一三・二五ヘクトパスカル）から何十気圧にまで急激に高まると発生する。これも音ではあるが、音楽にはなれない。衝撃波は圧力の急変によって突発的に生じるのに対し、音楽は圧力が連続的に変動することで生まれるからだ。

考えられうる最大の変動の幅は〇（ゼロ）気圧（真空）と二気圧のあいだなので、それで計算すると世界一うるさい音楽は一九四デシベルとなる。これより少しでも大きければ、もう音楽じゃなくて衝撃波だ。つまり、「音楽で死ぬことができるか」という疑問は、

1　こうした圧力波のエネルギーは、空気中で熱に変わって散逸していく。「わー」と叫んだ程度では、健康被害が及ぶほどの熱は生みだせない。それでも、熱損失のまったくない「理想のカップ」に冷めたコーヒーを入れ、それに向かってわめきつづけたら、一年半後に飲み頃になる。

「一九四デシベル以下の音で死ぬことがあるか」といいかえられる。するとここで新たな疑問がひとつ。デシベルって、何？

デシベルとは音の大きさを表わす尺度だ。デシベルは対数なので、値が一〇増えると音のエネルギーは一〇倍になる。

一二〇デシベルはチェーンソーの隣に立っているくらいのうるささで、このあたりから音が苦痛を伴ってくる。

一五〇デシベルは、ジェットエンジンの真横にいる状態に相当する。これほどになると、音が内耳の中で激しく反響するために鼓膜が破れる。そうなってしまえば音がうるさすぎる問題は解決するものの、デシベルがもっと上昇すれば人体はさらなるダメージをこうむる。

スピーカーから一九〇デシベルの音が放たれたら、あなたは相当に困ったことになるはずだ。幸い、現実問題としては心配しなくていい。人間がつくりだしたスピーカーで最も大きな音を生みだせるのは、オランダで開発されたホーンである。これは、人工衛星が発射時の大音響に耐えられるかどうかをテストするために製造された。このホーンからは一五四デシベルの音が出る。一五四デシベルなら鼓膜が破れてもまったくおかしくはないけれど、そのせいで命を落とすとまではたぶんいかない。ホーンの中にしばらく頭を突っこんだままにしておきでもすれば別だろうが（まだ試した人がいないので、この点は科学者も確かなことがいえない)。

もちろんこのオランダのホーンは、「私たちが知る限りで最大の音が出る」というだけにすぎない。

アメリカ軍は一九四〇年代から音響兵器の実験を続けているものの、今のところ芳しい成果は得られていないようだ。音響兵器をつくろうという発想の背景には、耳が恰好の攻撃対象だという考え方がある。耳は閉じることも向きを変えることもできないし、意志の力で音を拒むこともできない。そうはいっても、実際に音をコントロールするのは難しい。色々な物体に当たって跳ねかえったり、大きな建物によって増幅されたりもするからだ。それに、群衆を操る役にも立たない。スピーカーのそばにいた人は一瞬で耳がだめになるし、後ろのほうの人はほとんど気にも留めないという結果になる。軍隊にとって一番腹立たしいのは、五ドルで売っている耳栓があれば音響兵器に対抗できてしまう点かもしれない。

だがそれでは話が進まないので、あなたがヘビメタのコンサートに行って最前列に座ったとしよう。するとスピーカーの音量が一九〇デシベルに上がった。とたんに鼓膜が破れ、聴覚は一生使い物にならなくなる。そうなると、音は「聞こえる」というより「感じられる」ものに変わる。

音波が大気中を進むときには、実際に空気を圧縮していく。でもあなたの体は大部分が液体でできているので、ほとんど影響を受けない。わざわざ「ほとんど」といったのは、液体じゃない部分もあるからだ。肺や消化管のように中空の器官も存在する。心配しなくちゃいけないのは、そういう部分だ。

幸い腸は強靭なので、二気圧を超える圧力をかけない限り裂けることはない。裂こうと思えば、爆発で衝撃波を起こす必要がある。それにひきかえ、肺は悲しいかなはるかに脆弱だ。

極端に大きな音の振動にさらされると肺が急速にふくらみすぎ、中にびっしり詰まった肺胞という小さな袋が破裂する。肺胞は肺と血液の仲立ちをする大切な場所で、そこで酸素と二酸化炭素の交換が行なわれる。肺胞がなくなったら血液に酸素を供給することができず、もはや肺は肺の用をなさない。

まとめると、コンサートの最前列でヘビメタを聞いているときにスピーカーのボリュームが一九〇デシベルに上がったら、圧力波のせいで肺がふくらみすぎ、おそらく肺胞が壊れる。あなたは水から出された魚のように懸命に息をしようとするが、窒息して一巻の終わりとなるだろう。

そうそう、いうまでもないが、筋金入りのヘビメタファンには金星行きをおすすめする。地球の大気中では一九四デシベルが音楽の音量の上限だけれど、金星の表面付近なら大気圧がべらぼうに高い。そこでロックを演奏すれば、その強烈さは地球の一万倍に達してもおかしくない。ギターソロなど聞こうもんなら、真横で爆弾が炸裂(さくれつ)したような感覚を味わえる。

9 次の月着陸船にこっそり乗りこんだら

当面NASA（米航空宇宙局）には月に戻るつもりがないようだ〔訳注　二〇一七年一二月、米トランプ大統領が有人月探査および将来の火星探査に向けた月探査拠点の設置を指示する文書に署名した〕。現時点では火星有人飛行のリハーサルとして、小惑星への着陸を計画している。だから月に行きたいなら、中国の宇宙船で飛ぶのが一番だろう。もっとも、あなたが中国語に堪能だとしてもその仕事を得るのは相当に狭き門だ。ここでは、挑戦したもののだめだったとしよう。けれどそれでも決心が固かったら？　不合格という回答を頑として受けいれず、宇宙船にこっそり乗りこむことにしたら？　しかも宇宙服は高価だから（一着で一二〇〇万ドルくらい）、Tシャツ・短パン姿で。何が起きるだろうか？　以下はぼくらの考えだ。

秒読みが「五（ウー）」まで進んだところでメインエンジンが点火する。ただし、正規の宇宙飛行士ならカウントダウンをじかに無線で聞くところ、あなたの場合は屋外の拡声器経由だ。発射されると、宇宙船のスピードは八分間で時速四万キロほどにまで達し、あなたは四Gの加速に耐えなくちゃいけない。これは最強クラスの絶叫コースターとだいたい同じだが、それよりずっと長く続く。大丈夫、これくらいじゃ死なない。とはいえ、耐Gスーツも着ていなければ、衝撃吸収パッド付きの椅子もないわけだから、少しも快適じゃないし、たぶん気絶する。それに、宇宙船にひびが入っていたとしても宇宙服のご加護を期待できないので、あなたは順調な飛行を願うしかない。

予備の燃料が積まれていることを祈るのもお忘れなく。なんたってあなたが潜りこんだ分、全体の重量が九〇キロオーバーになっている。当初の軌道計算は合わなくなるだろうから、軌道操作用エンジンを噴射して修正を図る必要が出るだろう。

それでもすべてがうまくいったとしよう。あなたが船内で発見される頃にはもう何をするにも手遅れで、一緒に連れていくしかなくなる。じゃあ、月までの三日間を無重力状態で旅したらどんな気分になるだろうか。答え――とてつもなく、これでもかってほど、徹底的に気持ちが悪くなる。

悲しいかな、無重力の暮らしを最初に待ちうけるものが吐き気だ。宇宙酔いは乗り物酔いを強烈にしたものだと思えばいい。そもそも乗り物酔いは、目から受けとる情報と、三半規管が感じとる情報とが「一致しない」場合に起きる。脳はこの不一致を

「体内に毒を取りこんだ結果」と解釈して、解毒剤を処方する。つまり、嘔吐だ。
どれほどひどい乗り物酔いになるかは、脳と三半規管の接続がどれだけ優れているかにかかっている。もちろん、完璧な接続をもつ人なんていない（水中でぐるぐる回されたら、三半規管はどっちが上かもわからなくなる）。でも、三半規管が感じとった情報が脳で忠実に再現されればされるほど、目からの情報との不一致が大きくなって酔いはひどくなる。

　宇宙酔い界の現チャンピオンともいうべき人物は、元ユタ州選出上院議員のジェイク・ガーンである。ガーンは上院歳出委員会メンバーという地位を利用して、一九八五年にスペースシャトル「ディスカバリー号」で宇宙に向かう機会を得た。そのときのガーン議員の宇宙酔いがのちの語り草になるほど壮絶だったため、ＮＡＳＡはその功績（？）を称えて、宇宙酔いのひどさを表わす尺度をつくった。その名も「ガーン・スケール」。〇（ゼロ）から一までの数字で表わす。

　ゼロ・ガーンは気分のいい状態で、典型的な車酔いの吐き気はわずか〇・一ガーン。満点の一ガーンともなれば気分が悪すぎて何もできず、死体も同然の状態になる。

　車に激しく揺られて吐いたとしても、普通は命にかかわる事態にはならない。ところが宇宙では危険だ。船外活動中にヘルメットをかぶった状態で嘔吐しようもんなら、自分の吐物で溺死しかねない。[1] こうした問題を防ぐため、ＮＡＳＡは特注の航空機を使って宇宙飛行士を訓練している。その航空機の通称は「嘔吐彗星（ボミット・コメット）」。大きな放物線を描いて、まるでジェットコースターのように上がり下がりをくり返しながら飛ぶ。こうすると、ひとつの放物線の頂点が近づいてからそれを少し超えたあたりまで、中にいる全員が約二五秒にわたって無重力状態を経験できるのだ。あなたの場合は嘔吐彗星の訓練をまったく受けていないわけだから、三半規管は大いに面くらう。たちまち満点の一ガーンに達し、人間として使い物にならないほどの吐き気に見舞われる。

でもひとたび月面に着陸すれば、その重力のおかげで宇宙酔いが治るからご安心を。ただし、あなたは依然として宇宙服を着ておらず、これはあまりよろしくない。月は宇宙空間と同じで、大気のない真空状態だ。だからこそ仲間の宇宙飛行士は、高価でかさばる宇宙服をわざわざ身につけて月面に降りたつ。なのにあなたは軽快なTシャツ・短パン姿だから、もちろん命はない。ただ、即死じゃないのだ！

1　吐物に限らず、宇宙ヘルメットの中ではどんな液体でも命取りになりかねない。二〇一三年、イタリア人宇宙飛行士のルカ・パルミターノは、国際宇宙ステーションで船外活動をしていて溺れかけた。宇宙服内の冷却水がヘルメットの中に漏れだし、恐怖の水滴となってヘルメット内を漂ったためである。

なぜ知っているのかって？

それを証明したＮＡＳＡの技術者がいたからである。一九六六年、真空室の中で宇宙服のテストをしていたとき、ホースに不具合があって宇宙服が減圧されてしまった。技術者は真空室が再び与圧されるまでの八七秒間、何の保護もないまま真空にさらされつづけた。その間、最初の一〇秒を除いて意識はなかった。それでも、急激な気圧変化のせいで耳が痛くなったほかは、まったく無傷で生還している。この事故からひとつのことがわかった。人間は宇宙服なしで真空中にいても一分間は（ことによると二分間でも）生きられるが、意識を保てるのは一〇秒程度しかない、ということである。

その短いあいだに、いったい何を感じるんだろうか。

それは月のどっち側にいるかで違ってくる。日光の当たる側か、日陰の側か。地球の自転が二四時間なのに対し、月の場合は一か月。つまり、片側は一五日間太陽に焼かれて温度が約一二三℃にも達し、もう片方はマイナス一五三℃ほどにまで落ちる。宇宙船のドアをあけて外に踏みだしたとき、何が待ちうけるかを左右するのがこの温度差だ。

マイナス一五三℃だったとしたら、寒さを感じはしても凍ることはない。真空中のマイナス一五三℃と、地球でマイナス一五三℃の冷凍室に入るのとではわけが違う。

大気が存在しないと、熱伝導はゆっくりと進む。だから月の日陰側に着陸したとしても、「裸で涼しい部屋に入った」くらいの温度変化しか感じないだろう。それから何が起きるかというと、真空では水の沸点が体温より低い。だから体表面の汗は瞬時に蒸発して消えうせ、その気化熱で寒気を覚える。でも、それ以上に不快な感覚を味わうことはない。ただ単に寒気だけだ。

日光が当たる側に着陸して、温度が一二三℃だとしても、やはり真空のおかげでこんがり焼けることはない。熱い月表面からの放射熱があっても、夏のデスバレーより少し暑く感じる程度だ。

少し暑い以外にも、日陰側とは違う点がいくつかある。まず、月の表面も一二三℃になっているわけだから、素足のあなたはどこに足を置くかをよーく考えないといけない。月面のほとんどは、粒子の細かい砂に覆われている。この砂は密度があまり高くなくてとても軽いため、足を焦がすどころか、逆に足が月を冷やすような格好になる。[2] ところが月の石を踏んでしまったら大変で（いたるところに転がっていて、あなたの足より密度が高い）、足はジュージューいいながら焼けるだろう。

2　うまくやれば熱した炭の上を裸足で歩くことができるのも、これと同じ原理による。

月の石をよけるほかにも気をつけなくちゃいけないのが太陽だ。もっと具体的にいうと紫外線である。

太陽はX線や紫外線など、高エネルギーの放射線を絶えず私たちに浴びせている。幸いにも地球上では大気やオゾン層や磁場がその大半から私たちを守っていて、守りきれなかった分も衣服や日焼け止めがどうにかしてくれている。[3] これだけ幾重にも保護されているからこそ、生物が元気に生きていられるわけだ。ところが、大気圏外に出ると状況は一変する。

月面では大気に守ってもらえない。そのため、SPF五〇の日焼け止めを入念に塗りこんで外に出ても、ものの数秒で肌は健康的な小麦色になる。さらには、一五秒とたたないうちに紫外線を吸収しすぎてしまい、皮下組織にまで及ぶ深い火傷を負ってもおかしくない。

もうひとつ問題になるのが呼吸だ。着陸船を離れる前に、息を大きく吸って止めておいたとしよう。すると真空中では肺に入った空気が瞬時に膨張するため、デリケートな肺胞が破れる。これを防ぐには、次のような予防策をとっておくしかない。肺を空気でいっぱいにするんじゃなく、口をあけて肺の中の気体を残らず吐きだしてから外に出るのだ。

それでも血中に含まれる酸素のおかげで、一〇～一五秒は意識を保っていられる。

それを過ぎたら気絶し、犬を使った一九六〇年代の実験を踏まえるに、二分を超えたところで脳死を迎える。[4]

じゃあ、気絶してからのあなたはどういう状態になるんだろうか。いったん心臓が止まってしまうと、だんだんおぞましいことが起きてくる。

さっきも書いたように、真空中では水の沸点が体温より低い。だから汗はすべて蒸発して消える（涙や唾液も同様で、そのときにピリピリとした感覚を生じる）。ただしそれは体の外側にある水の場合。体内の水、つまり血液は、何十秒もたってから沸騰を始める。

どっちみちあなたは意識を失っていてまもなくご臨終となるわけだから、これはもっぱら見ていてくれの問題だと思って聞いてほしいのだが、血液が沸騰して気化すると皮

3　地球の大気にはSPF二〇〇程度の日焼け止め効果がある。

4　悲観したくなる気持ちもわかるが、安心してほしい。助かる見込みはちゃんとある！　だって犬を使った実験では、真空にさらされる時間が九〇秒までなら犬はかならず生きかえったのだ。確かにその間は失神し、体は麻痺した。腸内から出ていくガスのせいで脱糞したし、嘔吐や失禁もした。おまけに舌は氷で覆われ、体がふくれあがった。あまり楽しそうじゃないけれど、与圧してやったら体は縮み、数分後には新品同様に戻っている。そうはいっても、真空中にいられるのは二分が限度のようだ。

膚がふくらんでいく。やがて皮膚はパンパンに張って人間風船と化す。

いずれはその気体も全部体から抜けていって、あなたはしぼむ。ただし、いったん皮膚が土台から引きはがされているために、少ししわが増えるのは避けられそうにない。

月面には虫も細菌もすんでおらず、あなたの体内にいるものがすべてだ。だがそれも激しい温度差と真空によって死滅するので、あなたは腐りもしなければ分解されもしない。

仲間の宇宙飛行士にあなたを連れて帰る気がなければ、あなたは何千年ものあいだ月に留まることになる。からからに干からびて保存状態のいい、しわだらけの月人間として。

10 フランケンシュタイン博士の装置に縛りつけられたら

小説『フランケンシュタイン』（芹澤恵訳、新潮文庫）の原作をよくよく調べてみても、博士がどれだけの電圧や電流を使ったのかはわからない。でも、相当なものだったはずだ。ともあれ、なぜかあなたが怪物の身代わりになって台に縛りつけられるとしよう。小説の怪物は、電気ショックを受ける前はただの死体だった。けれどあなたは（たぶん）生きているから、体に電流が流れたら怪物とはまったく違った影響を受ける（そもそも電流は、人間を生きかえらせるよりその逆をするほうがはるかに得意だ）。

博士が真っ先に取りかかるのは、あなたの頭とくるぶしに電極をつけること。これは、体全体に電気を通すためである。そのうえでスイッチを押せば、ごく短時間に色々なことが起きる。だが具体的な話に移る前にひと息入れて、今現在あなたの体を流れている電気に目を向けてみよう。

あなたがこの文章を読むあいだにも、心臓は瞬間的な電気刺激を受けつづけている。少なくともそう願ったほうがいい。じゃないと、医師が「臨終」と呼ぶ状態に陥っていることになる。何も問題がなければ、今日あなたの心臓を打つ電気刺激は八万六〇〇〇回あまり。それは昨日とまったく同じであり、あなたに明日があるとするなら明日もまったく変わらない。

どれくらいの量の電気刺激がいつ心臓に当たるかは、ものすごく重要だ。にもかかわらず、これは簡単に乱れる。心臓が収縮を起こすには〇・一ボルトもあれば十分で、それがおかしなタイミングで心臓に加えられれば、拍動が混乱して死を招くこともある。

これはまずい。

ありがたいことに、皮膚はまああの絶縁スーツになってくれる。

博士の装置に縛りつけられたとしても、体が乾いていて衣服を身につけていれば、電圧が一〇〇ボルトを超えない限り電気はたぶん心臓まで届かない。[1]

内臓にかならず電流が伝わるようにするには、六〇〇ボルト以上の電圧が必要だ。それだけ強力になれば、絶縁破壊（絶縁体に加わる電圧がある限度以上になると、いきなり絶縁性を失って大電流が流れる現象）を起こすことができる。手っ取り早くいえば、皮膚に穴があくわけだ。

続いて体が跳ねあがる。これは外から来る電気が、神経を通る電気に代わって筋肉を収縮させるために起きる。[2]元をただせば、この跳ねあがる現象がきっかけとなってフランケンシュタインの物語が生まれた。死体に通電して体を動かす実験を著者のメアリー・シェリーが見物し、それで着想（「死体が生きかえった！」）を得たらしいのだ。

しかし弱い電気刺激なら、かならずしも悪いわけじゃない。最近では、電気ショックで筋肉をくり返し収縮させる装置も開発されていて、それを利用するのも「エクササイズ」だとされている（そして努力もせずに六つに割れた腹筋ができあがるわけだ）。

1　どれだけの電気を流せば命にかかわるかを正確な数値で表わすのは難しい。電気の伝わり方は少々予測のつかないものだからだ。二四ボルト程度の低電圧で亡くなった人がいるのは確かだが、そのときは大量の水が絡んでいた。

2　電気柵をつかむと危険なのは、感電自体が恐ろしいからという理由だけじゃない。電気のせいで腕の筋肉が収縮してしまうからでもある。握る筋肉のほうが放す筋肉よりも強いので、柵から手が離れなくなる。同じことは脚にもいえる。感電した人が地面から「吹きとぶ」のは電気のせいじゃない。電気が脚の筋肉を発火させ、縮める筋肉より伸ばす筋肉のほうが強いために跳びあがってしまうのだ。

もっともあなたの場合、やりたくもないエクササイズをさせられる以外にも面倒なことが待っている。皮膚は電気抵抗が大きいために電流が伝わりにくい。そこで電流は、目・鼻・口といった電気抵抗の小さい通路から忍びこんで脳に入りこむ。電流に触れたものはすべて熱せられるのが世の定め。皮膚なら軽く焦げて黒くなるだけだからいいが、脳は傷つきやすい。

電流が頭蓋骨の内部に達したら、脳のタンパク質をゆであげる。さらに脳の外側をこんがり焼いたあと、電流は足首の電極のほうへ向かおうとする。ということは、脳と脊髄をつなぐ脳幹という狭い通路を電流が集まって通りすぎるわけだ。ここでは生命維持に欠かせない機能がコントロールされていて、そのひとつが呼吸である。だから脳幹がカラッと揚がってしまえば、どんなに思いだそうとしても息をするのを「忘れて」しまう。

脳は残った酸素で数秒は働きつづけるものの、一五秒ほどで意識がなくなり、四〜八分もすれば完全な脳死になる。これがメアリー・シェリーの小説だったら、脳がだめになってもなんの問題もない。フランケンシュタイン博士がまたスイッチを入れさえすれば、あなたはすぐに立ちあがって歩きだす。だが現実の脳死はそう簡単にはいかない。心臓の拍動が乱れたのなら電気の刺激で立てなおせるが、死んだ脳を再び動かすのは壊れたコンピュータを再起動するようなものだ。

当然ながら脳はすでに変性している。だから、博士がそれを元に戻してあなたを生きかえらせたければ、墓から新しい脳を掘りだすところから始めないといけない。

11 乗っているエレベーターのケーブルが切れたら

近代的なエレベーターが誕生してから一五〇年あまり。のべ一兆三〇〇〇億人ほどが約八〇〇〇億回もこの機械を利用してきた。その間、おそらくは大多数の人が一度はこんなことを考えたんじゃないだろうか、「今、事故が起きてケーブルが切れたら、ぺちゃんこに潰れて恐ろしい最期を遂げる」って。

そう思うのも無理はない。

なぜなら実際にそういう事故が起きているからだ。

たった一度だけ。

一九四五年、アメリカ陸軍のB－25爆撃機が霧で方角を見失い、エンパイアステートビルの七九階に突っこんだ。この事故のせいで二台のエレベーターのケーブルが切れ、両方ともエレベーター・シャフトを急降下していった。当時はまだエレベーターが自動化される前の時代。箱の中に添乗員が座って客を目的階まで案内していた。事故があったとき、二台のうち一台の添乗員は「史上最も絶妙なタイミングのタバコ休憩」で席を外していた。もう一台の添乗員ベティ・ルー・オリヴァー夫人は、ビルの底のエレベーター・ピットまで七五階分を落下した。

電動式の乗り物は数々あれど、エレベーターほど安全なものはない。もちろんリスクがないわけじゃなく、アメリカでは年間平均二七人がエレベーター事故の犠牲になっている。だが、そのほぼすべてが「操作者のミス」。つまり、あなたのせいだ（エレベーターを安全に利用するコツ。①ドアが閉まりかけているときに無理やり乗るのはやめましょう。②途中で停止したとき、箱から脱出しようとするのはやめましょう。③ケーブルを伝って箱のてっぺんに降りるのはやめましょう）。エスカレーターのほうが一三倍も危険である。

エレベーターがこれほど安全なのは、一八五三年にエリシャ・グレーヴズ・オーティスが安全ブレーキを発明したおかげでもある。このブレーキはエレベーターの箱自体に取りつけられているので、ケーブルが切れてもエレベーター本体を停止させることができる。

オーティスがこれを考えだすまで、エレベーターには人気がなかった。そりゃそうだ。自分の命がたった一本のひも（たとえ太いひもだとしても）にかかっているような箱には、誰だって入りたくない。オーティスがそれを変え、それを境にすべてが変わった。

エレベーターなんて、ちょっと便利な近代的設備、くらいにしか思っていないんじゃないだろうか。でも、今あるような都会の暮らしを送るうえで、エレベーターはなくてはならないものだ。エレベーター誕生前の時代、ビルの高さはせいぜい六階までだった。重い買い物袋をもってそれ以上の階に上がりたがる人間なんてどこにもいない。また、家賃が一番高いのは最上階じゃなく一階だった。のぼる階段の数が少なければ少ないほど、住む価値があったのである。

エレベーターによって建物は高層化し、一街区に詰めこめる人の数も増えた。エレベーターがなければ、人は市の中心部から際限もなく広がって住むしかなかっただろう。

そんなロサンゼルスみたいな都市ばかりにならずに済んだのも、オーティス氏のおかげといえる。とはいえ、あり得ないことが実際に起きて、オーティスの発明がうまく機能しなかったと考えてみよう。エレベーターが摩天楼の最上階からオリヴァー夫人のように落下したとしても、あなたがお陀仏になるとは限らない。多少の幸運に恵まれればいくつかの物理現象がウソみたいに都合よく重なって、助かるかもしれないのだ。オリヴァー夫人がそうだったように。

昨今では、エレベーターでどれだけ長い距離を落ちたくても、五〇〇メートルあまりがせいぜいである。それ以上の高さにエレベーターを設置すると、ケーブルが重くなりすぎてしまう。一九七三年にワールド・トレード・センターでエレベーター乗換えフロアが考案されるまで、高層ビルはこの限界を上回る高さになれなかった。

五〇〇メートルの高さからエレベーターが自由落下したら、地面に激突するときの速度は時速三〇〇キロ強。中の人間が生きていられないのはほぼ間違いない。ところがあなたに運があれば、シャフトにぴったりフィットしたエレベーターに乗れる。そうしたら、箱の下にある空気がそうそう速くは上に逃げていけない。結果的に柔らかいエアバッグのような圧力の枕が生みだされて、それが落下速度を下げてくれる可能性がある。

だが、生きて帰るためにはそれだけじゃ足りない。

体に加わるG力（ジーりょく）を軽減するには、落下速度を徐々に落としてゆっくり停止するのが肝心だ。G力とは加速や減速によって体にかかる力のことで、地球の重力を基準にした単位である。たとえば、今現在あなたが受けているG力は一Gだ。やたらと動きの激しいジェットコースターで最大五G前後である（つまり体重が実際の五倍になるということ）。訓練を受けた戦闘機パイロットなら、九Gに耐えて飛びつづけることができる。

じゃあ、人間の限度はどれくらいなのか。どうやら、およそ五〇Gをほんの数秒間だけというのが生還できる限界のようだ。なぜわかるかといえば、一九五四年に試した男がいたからである。それまでアメリカ空軍は、戦闘機の射出座席の設計に取りくんでいた。非常時に乗員を座席ごと機外に放出して、脱出させる仕組みである。そのため、パイロットを生かしたまま打ちだすには、どれくらいの速度にすればいいのかを知る必要があった。具体的には、射出時にかかるG力を人体はどれだけ耐えられるのか、である。そこで空軍は世界で最も恐ろしい乗り物を考案し、被験者を募った。その呼びかけに応じたのが空軍大佐のジョン・スタップである。スタップは当時すでに、酸素システムのテストで危うく窒息しかけたり、キャノピーなしで時速約九二〇キロの戦闘機で飛んだりしていた。

空軍はこの実験のために特別な「ロケット・スレッド」（レールの上をロケット推進で走るソリのような乗り物）を開発し、スタップの体をベルトで固定した。それからスレッドを時速一〇〇〇キロあまりにまで加速し、それをわずか一・四秒で停止させてどうなるかを見守った。このときスタップの体にかかった力は、じつに四六・二Gである。

つまり、哀れスタップの体重は一瞬二〇〇〇キロを超えていたことになる。停止の衝撃でスタップの眼球の血管は破裂し、肋骨が折れ、両手首も骨折した。それでも死ななかった。そして、体が適切に固定されていれば、四〇G以上の減速に耐えられることを身をもって証明したのである。

スタップが成功したのには、体勢のとり方がよかったことも一役買っている。そこで話は再び落下中のあなたのエレベーターに戻る。助かる可能性が一番高いのは、全身をできるだけ平らにすることだ。跳びあがっても無駄。たとえ奇跡的に激突の寸前にジャンプできたとしても、衝突の衝撃は時速一・五〜三キロ程度しか減らない。おまけに、床に叩きつけられるときに内臓をつないでいた動脈が切れ、内臓が体の下からこぼれてきて山をつくる羽目になる。

先にいっておくが、天井の照明からぶら下がるのもやめたほうがいい。結局は手が引きはがされ、最上階から飛びおりたのと同じくらいの強さで床に激突することになる。それから、気持ちはわかるが、隣の人の肩によじ登るのも意味がない。不安定だし、どっちみちその人も衝突の瞬間には倒れる。

じゃあどうするのが一番いいのかって？　仰向けに寝ることだ。内臓の山なしに体を止めたければ、それにまさる方法はない。

面白いことに、一九四五年に潰れたエレベーター内で発見されたとき、オリヴァー夫人は床で仰向けになってはいなかった。隅で椅子に腰掛けたままだったのである。そんな体勢は間違ってもおすすめできないのに、それでも一命を取りとめたんだから驚く。確かに肋骨や腰骨を折りはした。けれど、もしも床に寝そべっていたら、シャフトの底にたまっていた瓦礫（がれき）に串刺しにされていたかもしれない。実際、エレベーターの床はその瓦礫に貫かれていたのだ。だから、この点はくれぐれも誤解のなきように。乗っているエレベーターのケーブルが切れて箱が落下したら、生きのびられる望みは相当に薄い。でもご安心を。そもそもそんな事故はまず起きないから。起きる確率はどれくらいかって？　一〇億分の一未満だ。[1]

1　ちなみに、建物の二階に上がるのに階段やエスカレーターを使うと、危険度はどちらもエレベーターの一〇倍。ビルの外壁をよじ登るのは一〇〇〇倍だ。

12 樽の中に入ってナイアガラの滝下りをしたら

一九〇一年、教師を退職したアニー・エドソン・テイラーは金に困っていた。救貧院で余生を過ごすくらいならと、あることを思いたつ。そうだ、樽に入ってナイアガラの滝から落ちる最初の人間になろう、って。それで有名になれば、金が儲かると踏んでのことだ。[1] テイラーはそれ用の樽をつくり、自転車の空気入れで内側に空気を送りこむ。それから試しに自分の飼い猫を中に入れて、滝の上から落とした。猫は死なず、樽も無事。そこでテイラーは自分の六三歳の誕生日に自ら樽に乗りこんだ。川の真ん中までは人に引っぱっていってもらい、樽ごと滝つぼに身を投げる。数分後、滝

1　そううまくはいかなかった。

の下で樽が回収され、テイラーも引きあげられた。見事成功し、しかもたいした怪我もなく生還できたのに、テイラーは次のように語ったと伝えられている。「これをもう一度やるくらいなら、粉々に吹っとぶのを百も承知で大砲の前に立つわ」

この助言も空しく、テイラーの成功に刺激されて大勢の人間が滝下りに挑んだ。もっとも、運に恵まれた者ばかりじゃない。

乗り物に選ばれたのはやはり樽が一番多かったものの、カヤックやジェットスキー、果ては巨大なゴムボールなどが使われることもあった。ここではあなたがテイラーのように樽で行くことにし、友人に頼んでナイアガラ川の真ん中に投げこんでもらったとしよう。樽は流れに運ばれ、滝を落ちていく。

下に届く頃には五五メートル近くを落下し、速度も時速一一〇キロを超えている。

あなたの生死を分けるのは、樽が何にぶつかるかだ。

岩に当たると面倒なことになる。NASAは人体の耐久性を調べる研究を行ない、次のような結論に達した。落下する高さが六・七メートルの場合（これだと衝突時には時速約四〇キロになる）、防御姿勢をとらずに固形の物体の上に足から落ちても普通は命に別状はない（「重傷を負わない」といっているわけじゃなく、たぶん大怪我をする）。高さが七〜一二メートル程度になると、生還できるかどうかが怪しくなってくる。そして一二メートルを超える高さから（時速約五五キロで）岩にぶつかったら、まず間違いなく命はない。

あなたの場合、落差五五メートルの滝を下って時速一一〇キロ超で岩に当たるのだから、当然この世とはおさらばである。

岩じゃなくて水に落ちるほうが断然好ましい。となれば、ナイアガラに三つある滝のうち、最大のカナダ滝を選ぶのが一番だろう。ただし、水なら絶対に安全というわけじゃなく、静止した水たまりの場合はなおさらだ。アメリカ空軍の研究によると、時速約一一〇キロで静水に衝突すると、助かる可能性は二五パーセント。しかもそれは理想的な体勢（足から先に、膝をやや曲げ、体をわずかに後ろに倒す）をとっていた場合だ。その形が少しでも崩れたら、死はほぼまぬかれない。[2] なぜって、理想の姿勢でないと、水面を打って三〇センチほどしか進まないあいだにすべての減速が起きて体が完全に止まるからである。そうなれば、壊れやすい胸郭に強烈なG力がかかって肋骨がめちゃくちゃに折れ、内臓につき刺さる。頭は背骨にめりこむ格好になって、

2　同じ研究によると、七三メートルの高さから落ちて時速約一二九キロで水を打ったら、どんな姿勢をとっていようが命はない。サンフランシスコのゴールデン・ゲート・ブリッジは、デッキの高さが水面から約七五メートル。そこから飛びおりた人間の九五パーセントは、水を打った衝撃で死亡している。

頭蓋骨も砕ける。下に向けて勢いがつくのは頭だけじゃない。ほかの臓器も全部そうだ。

でも[3]安心してほしい。ナイアガラの滝つぼは静水じゃない。空気を含んで激しく波立ち、泡立っている。高速で突っこむのにはなんとも好都合だ。泡は水より密度が低いので、体が完全に止まるまでにはだいぶ深くまで入っていける。そしてそれが体にかかるG力を低減させる。スタントマンがナイアガラの滝つぼに飛びこんでも、内臓を損傷せずに戻ってこられるケースが多いのはそういうわけだ。

ところが物事はうまくいかないもので、水が泡立って密度が低いからこそ厄介な問題ももちあがる。浮くことができないのだ。だからこそ、一見へなちょこに思える樽であっても、海水パンツ一丁で飛びこむより生還率が高いんだろう。要するに、樽は人間より沈みにくいのである。

あなたが樽に乗りこんで滝つぼに落ち、その時点では怪我をすることも絶命することもなかったとしよう。次に直面する問題は、滝の下で水がどのように循環しているかだ。下手をすると樽は何時間ものあいだ、水のカーテンの陰から出てこられないことがある。

ナイアガラのもうひとりの命知らず、ジョージ・L・スタサキスは、一九三〇年に樽に入ってナイアガラの滝から落ちたものの、およそ一四時間も浮かびあがってこられなかった。樽が壊れていなくても、そんなに長時間もつほどの酸素は中に入っていない。滝の下で水にもてあそばれるうち、スタサキスは窒息死した。

ナイアガラで滝下りをする場合、一番怖いのがこの水の流れだ。水が空気を含むおかげで落下の衝撃で昇天することはなくても（骨折は多いとはいえ）、水があなたをどう振りまわすかは予測がつかない。運がよければものの数秒で滝つぼから吐きだされ、有名人として各地を回って罰金に充てる金を稼げるだろう〔訳注　現在ナイアガラの滝下りはカナダ政府によって禁止されており、違反すると最大一万ドルの罰金が科される〕。でもスタサキスみたいに運がなければ、滝つぼに引きずりこまれる羽目になる。そして水のカーテンに閉ざされたまま、生きながら水中に埋葬されるのだ。

3　よくある質問——水に飛びこむとき、落ちながら水面に銃弾を一発撃ちこんで「表面張力を壊せば」死なずに済みますか？　答え——残念ながらそれでは無理です。生死にかかわるのは表面張力ではありません。重要なのは水の密度と、体がどれくらい短時間で停止するかです。生還したいなら密度を下げることが肝心ですので、水をたくさん泡立てる必要があります。ですが、弾を一発放った程度ではそこまでになりません。できれば、深さ約一メートルであなたの幅くらいの円筒状に泡を多数発生させたいところですね。ですから、助かりたいなら爆発性の弾丸を使うか、とにかく何発も発射することです。マシンガンを試してみましょう。

13 眠れなかったら

誕生から一万日目を迎えると、あなたはこの惑星で二七年四か月二五日を生きてきたことになる。なんなら二四万時間分年を取ったといってもいい。その間、一万一〇〇〇時間を食事に費やし、丸々一年トイレにこもり、やはり一年はまばたきのために目を閉じてきた。だがそれもこれも、あなたの大好きな活動のための時間に比べればたいしたことはない。何かって？　意識を失うことだ。一万日目に達した時点では、じつに九年間を寝て過ごしていることになる。

その時間を全部返してくれるといわれたら、喜んで受けとる？　言葉を換えるなら、永遠に目覚めていられる究極のエナジードリンクがあったら、あなたは飲むだろうか。

答える前によーく考えたほうがいい。なぜって、食べないのと寝ないのの二者択一を迫られたら、手放すべきはハムサンドイッチだからだ。眠らずにいるほうが、食事を我慢するより短時間で、しかもはるかに苦しみながら死ぬ。

なんでそうなるかを知りたいところだが、じつは専門家もよくわからずにいる。その最中に具体的に何が起きているにせよ、睡眠が重要なことに疑問の余地はない。これだけ長い時間をそのために費やしているから、というのもあるし、眠ることが進化の観点からすると理にかなっていないように思えるのに淘汰されてこなかったからでもある。

人類は地球に誕生して以来、非常に大型の捕食動物と世界を分けあう時代が長かった。ヒトが食物連鎖に占める位置にしても、ピラミッドの中段程度でしかなかった。それなのに、サーベルタイガーが寄ってきても気づかないで一度に何時間も寝そべっているなんて、危険としかいいようがない。適者しか生存できないはずの世界なのに、一日の三分の一をいいカモとして過ごしながら滅びなかったとは、いったいどう考えればいいんだろう。

寝ているあいだに何か重要なことが行なわれているのは間違いない。睡眠はほぼすべての動物に共通する普遍的な欲求のひとつだ。どんなリスクを伴おうとも、とにかく寝たいのである。ハツカネズミはまわりがネコだらけでもうとうとする。植物にさえ一日のサイクルのなかには睡眠に似た段階がある。

だとしたら、睡眠という特性が生物に備わったのは進化のかなり早い段階だったと考えてよさそうだ。人類の遠い祖先（何億年も前の藻類だろうか）が何かの拍子に「ぐーぐー」を始めて、そしたら青緑色の頭がすっきりと晴れて仲間よりちょっと出来がよくなった。最初はそんなことだったのかもしれない。あとの話は知っての通りだ。

その大昔の藻類がなんて名前だったのかはわからないが、わりと最近のランディ・ガードナーのことなら知っている。ガードナーの事例からは、睡眠がどれだけ生命に欠かせないものかがみえてくる。

一九六四年、カリフォルニア州サンディエゴの高校二年生だった一七歳のガードナーは、医師の監視のもと史上最長の不眠記録を打ちたてた。ギネスはもうその手の記録をフォローしていない（危険すぎるから）。でもガードナーは公式の監視を絶え間なくつけた状態で、二六四・四時間も眠らずにいた。これは丸一一日を超えている。

この実験は高校の科学プロジェクトの一環として行なわれたものだ（こんな一大事が一環だったとは）。当然ながら、眠らずにいるのが一筋縄でいくはずもない。三日目には横断歩道の信号を間違えた。四日目の夜を迎える頃には、自分がプロのアメフト選手だと信じて疑わなくなった。ガードナーを診察した医師によれば、選手としての技量を疑う人がいると烈火のごとく怒ったらしい。

六日目には筋肉のコントロールがままならなくなり、短期記憶もおぼつかなくなってくる。一〇〇から七をくり返し引いていくテストをさせたところ、途中で自分が何をしているのかを忘れてしまった。それでも最終日には、ピンボールで監督官のひとりに勝っている（相手の腕前を疑問視する声もあるが）。しかもこれほど様々な不具合に見舞われながらも、一四時間ばかり爆睡したらガードナーは完全に回復した。

このケースでは、肉体の限界まで不眠を続けることはなかった。だが、数匹の不幸なラットのおかげで、仮にそうしたらどうなるかが今ではだいたいわかっている。

ある実験で、何匹かのラットから無理やり睡眠を奪った。ラットを円盤に乗せ、その脳波をモニターし、うとうとしはじめたら円盤を回してラットが歩かざるを得なくするという仕組みである〔訳注　餌や水は円盤上に与えられており、ラットが目覚めないと円盤ごと水に浸るようになっている〕。要するに、眠りたくても眠れなくするわけだ。

実験開始から二週間、ラットはすべて息絶えた。研究者は再度同じ実験を試み、今度はもう少し救いの手をさし伸べてあげることにする。途中でラットの体温が低下しはじめたときには、実験装置内の気温を上げてやった。だがなんの役にも立たない。ラットの免疫系が弱ってきたのをみるや、抗生物質を与えてもみたがこれまた効果がない。体重が減ってきたので、餌の量を増やしもした。それでも結局は死んでしまう。

ラットを救う唯一の方法はごくごく単純なことだった。寝かせてやることである。眠らせてやりさえすれば、ほとんどのラットが完全に回復した。思いっきりわかりやすくいうなら、不眠の「毒」がラットをむしばみ、唯一有効な「解毒剤」が睡眠だったというわけである。

人間の場合にも、脳波を測定すれば不眠の影響がわかる。私たちが疲れていると、脳の前頭前野（ぜんとうぜんや）と呼ばれる場所が過剰に活動する。ここは記憶や推論をつかさどる脳領域だ。頭がフレッシュな状態だったら楽々こなせることでも、疲れているときには脳が余計に働かないと同じことができない。サイズの大きなファイルを旧式のコンピュータで開くようなものだ。それと同じで、脳は疲れているとうまく機能できなくなる。

なぜ睡眠が必要かということについて、科学者はどう説明しているんだろうか。かつてスタンフォード大学の著名な睡眠研究者ウィリアム・デメントは『ナショナルジオグラフィック』誌の取材に答えて、「眠くなるから眠るのだ」と大真面目に語ったことがある。今のところ、睡眠をとる理由として一〇〇パーセント確実にいえるのはそれしかない。

だがそれも変わりつつあるようだ。近年の研究によって、この問題の解明が多少なりとも進みそうなのである。

マウスとサルを観察した結果から（ヒトについてはまだだが）、睡眠は「脳内洗浄機」の一種じゃないかとの可能性が浮上している。

目覚めているとき、脳細胞は老廃物として有毒なタンパク質を排出している。それが周囲に留まっていると、脳機能が損なわれる。その毒素をきれいに洗いながしてくれるのが脳脊髄液だ。あいにく、体を起こして動きまわっているときはこれがうまく流れてくれない。脳細胞が太っているので、細胞と細胞のあいだの空間が狭いのである。そのため、いわば脳脊髄液の交通渋滞が起きて、毒素はそのままそこにたまっていく。

ところがひとたび眠りにつけば脳細胞が縮み、脳脊髄液は真夜中の高速道路を走るように勢いよく流れだす。液は脳全体を駆けめぐり、有毒な老廃物を運びさっていく。[1]目を覚ます頃には脳細胞は疲れがとれてピッカピカ。「人生とはなんぞや」でも「朝食は何にしようかな」でも、なんでも考えられる状態になっているのだ。

この説の通りだとすれば、色々なことが腑に落ちる。疲れていると頭が急激に働かなくなるのも、不眠が続くと最後に命を落とすのも、あるいは実験のラットが意地でも寝ようとするのも、それが理由だと考えると納得がいくのだ。私たちは目覚めているだけで脳を汚している。そして脳はどうも汚れるのが大大っ嫌いらしい。だから脳はなりふり構わず眠ろうとする。徹夜がどれだけ難しいか、思いだしてみればいい。

1　睡眠中に除去される老廃物のひとつがアミロイドβ（ベータ）。この物質は、アルツハイマー病などの認知症と密接にかかわっている。

これまで、水や食事や暖かさを拒むことで自分の命を絶った人はいる。けれど、自らの睡眠を奪うことで自殺できた人はただのひとりもいない[2]。眠りへの衝動はそれほど強く、抗いたくても絶対に無理なもののようだ。

どうやら進化は眠る能力をあなたに授け、それを間違いなく使うように仕向けたらしい。

毎年大勢の人が交通事故で亡くなっている。その原因のひとつは、重さ一トンの物体を時速一〇〇キロ近くで走らせていることを重々承知しながら、脳が自らを無意識の状態に送りこんでしまうことにある。自動車だけじゃない。電車事故、飛行機事故、産業事故、果てはチェルノブイリ原発の大惨事に至るまで、居眠りが原因とされる事例は数知れない。車や電車を運転しているときに眠気を催すと、「マイクロスリープ」と呼ばれる短い睡眠状態に移行するおそれがある。意識を失う時間はせいぜい三〇秒くらいだが、こうなったらべらぼうに危険だ。マイクロスリープに逆らうのは不可能であり、しかもその状態を出たり入ったりしても境目がないのでたぶん自覚がない。だから、側溝に落ちて初めて気づく、なんてことも少なくないのだ。

人間のもつ数々の欲求のなかでも、それを抑えて自殺することができないのは睡眠だけかもしれない。睡眠を奪われたときに脳機能がどうなるかを本気で確かめたいなら、ラットが死んだあの悪魔の円盤に乗ってみることだ。けっしておすすめはしないが、もしもやってみたとしたら、幻の相手と会話を交わし、ひとつのことをほんの数分しか考えることができず、ひょっとしたら自分をプロのアメフト選手と信じながら、あなたは二週間後に汚れた脳細胞のせいで永遠の眠りにつくだろう。

2　致死性家族性不眠症というきわめて稀な病気を発症すると、患者は眠ることができなくなって死に至る。ただし、死の直接の原因は不眠ではなく、この病気のせいで脳が損傷することにあるようだ。

14 雷に打たれたら

一九七八年四月二日、アメリカの核実験監視衛星「ヴェラ」が核実験を探知した。特徴的な二重閃光を見つけたのである。ニューファンドランド島沖にあるベル島の小さな鉱山の町に、誰かが核爆弾を落としたようだった。だが、それはあり得ないと軍は分析する。カナダ東端の島で冷戦が熱くなるとは考えにくい。そして実際、何度かすばやく電話をやり取りしたあと、その町が核の廃墟と化したわけじゃないことが明らかになった。

いったい何が起きたのか。

ヴェラ衛星はそれが稲妻だという可能性を排除していた。検知した閃光がそんなレベルじゃなく猛烈に明るかったからである。でもヴェラは「超電光」の存在を忘れていた。核爆発を思わせる異常に強い雷がごく稀に発生することがあり、それを超電光

と呼ぶ。ベル島で起きたのはまさしくそれだった。すさまじい雷鳴は五〇キロ先にまで届き、あとには直径一メートルほどの穴と、被害を受けた家々と、爆発したテレビ受像機が残った。

じゃあ、超電光とはなんだろうか。通常の雷は雲の底から発生するので、地上からの高さは一〇〇〇メートルほどしかない。ところが一〇〇万回に一回程度の割合で雲のてっぺん（一万メートル近く）から落ちてくることがある。それが超電光だ。長い距離を進むにははるかに高い電圧がいるため、超電光は通常の稲妻の約一〇〇倍もの明るい光を放つ。[1]

超電光が発生するのはきわめて珍しく、起きたとしてもたいていは海上だ。そのため、実際に超電光が記録された事例は数えるほどしかない。ひとつは一九五九年四月二日。イリノイ州のリーランドという村に超電光を伴う雷が落ちて、トウモロコシ畑に幅四メートル近い穴があいた。一八三八年にはイギリス海軍艦「ロドニー号」が超

1　雲からどうして電気が生まれるのかについては、まだわからないところが残っている。だがおそらく、雷雲中の空気にのって水滴や氷の粒が上がったり下がったりする過程で、こすれあってわずかな静電気が発生することと関連しているようだ。ウールの靴下でカーペットをこするようなものである。

電光を受け、重さ三六〇キロほどのマストが「一瞬にして木くずと化した」と、フランク・レーン著『怒れる自然（*The Elements Rage*）』に記されている。

さて、あなたがとことんついてなくて、やけに不気味な雷雲が頭上に現われ、その雲のてっぺんで電気が発生しはじめたとしよう。いったい何が起きるだろうか。あなたも木くずになり果てる？

うん、たぶん。もっとも、具体的にどうなるかは、どのように電光に打たれるかと、どれだけのエネルギーが体に伝わるかで違ってくる。通常の雷であっても、両手を広げたくらいの幅の稲妻がまともに体を通りぬけたら、あなたをロドニー号のマストに変えるだけの威力はもっている。でもたいていそうならないのは、直撃したとしても被害者に当たるのはエネルギーの一部にすぎないからだ。まともにくらったのに、感電しないで稲妻に「すっぽり包まれて」助かった人までいる。

稲妻に包まれたら命はないはずだと思うかもしれない。でも、あなたが雷に打たれてみたいなら、そして生きて帰りたいなら、じつはそうしてもらうのが一番なのだ。それには体が乾いていないほうがうまくいきやすい。電気はかならず抵抗の一番小さいところを進んでいく。だから体がぐっしょり濡れていれば、雷の放電は皮膚の外側を伝っていき、体の中を通りぬけずに終わる。また雷撃によってあなたに触れている空気も帯電するので、一瞬ながら内臓よりもその空気のほうが電気の通り道になりやすい。[2]これは「沿面放電」と呼ばれる現象だ。沿面放電に見舞われると、皮膚表面の水分が一瞬で蒸発し、着ているものも吹きとばされる。そのため、被害者は雷撃で意識を失ったあと、裸で目覚めることが少なくない。

家庭で起きるような感電事故と落雷による感電の大きな違いは、電気が体を通るのにかかる時間だ。雷の場合、それはわずか八～一〇マイクロ秒（一マイクロ秒は一秒の一〇〇万分の一）である。プラグをコンセントに差すタイプのごく普通の電化製品で感電しても、電気が体内を流れる速度はもっとゆっくりだ。だから、感電と心拍のタイミングが危機を生むケースは少ない。それにひきかえ雷の場合は、いつ電気が心臓を駆けぬけるかで生死が決まる。あなたに運がないと、心臓が収縮するわずか〇・一秒ほど前に雷に打たれる羽目になる。そうしたら心臓は細動を起こし、除細動器で処置しなければ確実に命がない。

もっとも、運よく収縮のあとで雷に打たれたとしても、危険なことに変わりはない。

2　腕の毛が逆立ったり、周囲の空気がパチパチと音を立てたりして、静電気がたまっているのを感じたら、とにかくすぐに避難しよう。車の中に逃げこむのが一番いい。車の金属は究極に電気抵抗が小さいので、稲妻の絶好の通り道になってくれる。電気は車の外側を伝って流れていき、内側にはまったく入ってこない。

超電光なら町全体の電気系統が（ベル島のように）めちゃくちゃになっても不思議はないわけだから、それが人間に落ちたらどれほどのことになるかは考えるまでもないだろう。脳は〇・一ボルト程度の電気信号で動いている。落雷を受けたら中枢神経系が過剰に刺激を受け、一時的に脳が麻痺してあなたは意識を失う。さらには脳幹もダメージを受けるおそれがある。脳幹は大事な場所で、息をすることを思いださせてくれている。そこが相当に乱されてしまえば呼吸を忘れてしまう[3]。しかも、直撃されなくてもそうなるおそれがある。

こんな不快な思いをせずに済ませるにはどうすればいいだろうか。いっておくが、嵐のときに木の下に立つのはもってのほかだ[4]。雷が木に落ちると稲妻が地面に伝わり、木の周囲が電気だらけの鉄板に変わることがある。これはけっして楽しい状況じゃない。なにしろあなたはただの塩水も同然で、塩水は地面の表面にある水分よりも電気抵抗が小さい。稲妻にとっては、あなたの体が一番通りぬけやすくなるわけだ。

この場合、電気は片方の脚を上がっていって、もう片方から下りてくる。その間、体に備わった電気系統は乗っとられ、脚の筋肉の神経が発火するのであなたは空中に跳びあがる。また、電気が通りぬけた細胞では細胞膜に細かい穴があき、そこから老廃物が漏れでて感染症が起きやすくなる。いいことはないのかって？　少なくとも脳幹に電気が流れることはないだろうから、息をすることは覚えていられそうだ。

超電光がロドニー号のマストに落ちたとき、中に含まれていた水分は一滴残らず瞬時に沸騰した。その過程で水分子が急速にふくらんだため、マストは木端微塵（こっぱみじん）に吹きとんで海に散らばった。その様子はまるで、「大工が船上の木くずを海に掃きおとしたかのようだった」と『怒れる自然』に記されている。

あなたが超電光の直撃を受けても、電気のほとんどは体の表面に沿って流れる可能性が高い。それでも超電光はものすごく強力なので、心臓を止めて脳をめちゃくちゃにする力は十分に残っている。ひと言でいえば、あなたは死ぬ。木端微塵にはならずに済むというだけだ。

ただし、あなたが徹底的についてないとしたら……というより、何を思ったか金属棒を高く掲げながら立つことに決めたとしたら、さてどうなるか。大皿サイズの稲妻をまともに頭にくらえば、ちゃんとロドニー号のマストみたいになれる。汁気たっぷ

3　だからこそ、落雷で感電した人には心肺蘇生法を施すことが大切だ。いずれ脳幹は元に戻ってまた呼吸を始められるが、それには時間がかかる。誰かに呼吸を助けてもらわないことには、その時間が稼げない。

4　ほかにも「もってのほか」はないのかって？　ある。側溝に寝そべることだ。地面を伝ってきた電気が、体に跳びうつって溝の反対側に流れていってしまう。浅い洞窟の中に立つのも、同じような問題が起きるので名案とはいえない。やっぱり車を見つけて乗りこもう。

りの血管や臓器を伝って電気は流れ、そのすさまじいエネルギーがあなたを熱し、あなたは太陽の表面に立っているときより高温になる。あなたの水分は蒸気に変わり、体は粉々に吹きとぶ。[5]

きっと核実験監視衛星がその閃光を検知し、核爆発でないことを確かめに科学者が駆けつけるだろう。でもそのとき目にするものは、壊れたテレビ受像機が数台と、倒れた家が数軒、そして一面にまき散らされた人間ひとりだけだ。

5　普通の雷であっても、皮膚を伝っていくときに毛細血管を熱して破壊し、樹状に枝分かれした模様を残す（これをリヒテンベルク図形という）。

15 世界一冷たい風呂に入ったら

風呂のお湯がうっかりぬるすぎた、なんてことは誰にでも経験があるはずだ。でも、もしもどうしようもなくハチャメチャなことが起きて、あなたが世界一冷たい風呂に入る羽目になったら？　たとえば、配管工がなぜか水と液体ヘリウム（世界で最も低温の液体）を間違えちゃったとか。そこに爪先からそっと、じゃなく、ザブンと勢いよく飛びこんじゃったとしよう。さて、どうなるだろうか。

じつは、似たようなことが現実になりかけたことがある（まったく同じじゃないにせよ）。スイスの巨大な粒子加速器「大型ハドロン衝突型加速器」が、稼働からわずか九日で事故を起こした。接合部に不具合が生じて、装置の設置されている地下トンネル内に六トンもの液体ヘリウムが漏れだしたのである。[1] そのときたまたま近くに誰もいなかったからいいようなものの、仮にトンネル内に科学者がいたら、（以下ネタバレ注意）映画『ターミネーター2』の悪い奴みたいに凍っていたはずだ。気体としてのヘリウムガスなら、たぶんパーティーの風船でおなじみだろう。ヘリウムはマイナス二六九℃未満に冷却しないと液体にならず、この値は絶対零度よりほんの数度高いだけにすぎない。

あなたの浴槽に液体ヘリウムを満たすと、その一部の温度が上がって気化する。重さ一キロの液体ヘリウムはおよそ六立方メートルのヘリウムガスになるので、かなりのヘリウムが酸素に置きかわる。

ということは、あなたがヘリウム風呂に飛びこんで悲鳴を上げたら、たぶん甲高い声が響くはずだ。ヘリウムガスの中では、音の伝わる速さが空気中の二倍以上になる。そして、どういう声になるかは、音が口の中でどう反響するかで決まる。だから、ヘリウムガスを吸うと声は二倍以上の速さで口の中を跳ねかえり、それで一オクターブあまり声が高くなるわけだ。

要するに、あなたはおかしな声になる。

もちろん寒さも問題になってはくるが、少なくとも浴槽に飛びこんで数秒のあいだは、あまりの苦痛の少なさにあなたは拍子抜けするだろう。これは「ライデンフロスト効果」と呼ばれるもののおかげだ。液体ヘリウムに触れると、その部分が皮膚の温度で気化する。これが蒸気層を形成して断熱効果が生まれ、肌がじかに超低温にさらされるのを防いでくれるのである。液体窒素や溶けた鉛に手を突っこんでも、一瞬なら平気なのはこの現象のおかげだ。ライデンフロスト効果がどれくらい持続するかは定かじゃないが、少なくとも数秒は大丈夫だと当てにしていいだろう。

それでもいつかは皮膚が冷えて、液体ヘリウムを気化させられなくなる。そうしたらヘリウムがじかに皮膚に触れることになって……そこからあなたの苦しみが始まる。

皮膚には寒さを感じるレセプターが二種類ある。ひとつは、気温が約二〇℃を下回ると反応して「肌寒さ」を伝えるもの。もうひとつは「凍えそうな寒さ」を感知するレセプターで、これが信号を発するとあなたはそれを痛みとして解釈する。このレセプターは一五℃より冷たいものに触れると活性化し、温度が下がれば下がるほど感じる痛みも大きくなる。

いうまでもないが液体ヘリウムに浸ったら、「肌寒さ」なんてすっ飛ばして極限の苦痛へと一直線だ。しかも痛みだけでは終わらず、さらなる問題を突きつけられるこ

1　これはじつにド派手な事故だった。誤って小都市一個分の電気エネルギーが接合部付近の金属に流れ、接合部は一瞬にして蒸発。そのために爆発が起き、衝撃で重さ一〇トンの磁石が一メートルあまり動いたほどだった。

とになる。窒息だ。

ヘリウムガスを吸いこむと、おかしな声が出るだけじゃ済まない。それが酸素と置きかわっていく。パーティーの余興で使われるくらいだからヘリウムガス自体に毒性はないものの、酸素の割合が低下していくと危険を招く。体が感知できるのは、血中二酸化炭素濃度の上昇だけ。酸素が減っていることには気づかないから、あなたには問題が起きているという自覚がない。[2] ヘリウムの浴槽に入った瞬間から気絶するまで、わずか一五秒だ。

痛みで最初の甲高い叫び声を上げてから、酸欠で気を失うまでの十数秒のあいだ、妙なことが起きているのに気づくかもしれない。液体ヘリウムはとてつもなく冷たいだけでなく、「超流動」という超能力のような不思議な性質をもっているのだ〔訳注　液体ヘリウムをマイナス二七〇・九八℃以下に冷やすとこの状態になる〕。

超流体（超流動の状態にある流体）になると摩擦（粘性）をもたなくなる。そのため、タンクに入った液体ヘリウムをぐるぐるかき混ぜたとすると、一〇〇万年後に戻ってきてもまだ少量が渦を巻いている。[3] 壁だって登れる。めっぽう軽いうえに摩擦がないので、グラスに注いだら側面を上がっていき、縁を越えて手にこぼれ落ちるくらいだ。ということは、あなたが浴槽で胸まで液体ヘリウムにつかったら、液体は首まで這いあがってくる。

首というのは、超低温の液体に触れさせる場所としてはあまりおすすめできない。断熱材がそんなについていないし、大量の血液を運んでいる。たとえ酸欠で失神しなくても（スキューバ用のタンクをもってきていたとかして）、液体ヘリウムのせいで血液が凍り、首の中に氷のダムができる。脳は血液がないと働けないので、頸動脈がせき止められて血が来なくなったら機能を停止するしかない。

息絶えたあとも体は凍りつづけ、すぐに『ターミネーター2』の悪い奴みたいにカチンコチンになる。だから、そう、誰かに銃弾を撃ちこまれたら、あなたの一部は映画みたいに粉々に飛びちるはずだ。

でも大丈夫。あなたのほうがターミネーターより有利な点がある。ターミネーターの体は金属でできており、金属は熱伝導性がとても高い。だから、超低温の液体（タ

2　なぜ体は二酸化炭素に気づけるのに酸素がわからないんだろうか。酸素濃度の感知は複雑な化学反応を必要とする。一方、二酸化炭素は血液の酸性度を強め、そして何かが酸性かどうかを確かめるのは体内であれ化学の授業中であれ難しくない。だから、たぶん進化は手っ取り早い解決法を選んだんだろう。

3　凍死というやつが絡んでくるのが残念でならない。それさえなければ、摩擦ゼロの液体ヘリウムはスリップ・アンド・スライド〔訳注　ビニールシートに水を流して滑る子供の遊具〕にもってこいなのに。

ーミネーターの場合は液体窒素）に浸ったのは足だけだったのに、体全体が凍ってしまったわけだ。その点、人間の肉ははるかに優れた断熱材なので、浴槽に入れるのを足だけにすれば頭まで氷と化すことはない。

あいにく、ターミネーターより不利な面もある。ターミネーターなら霜が取れればすぐに動ける状態になるけれど、あなたはそうはいかない。

いずれはヘリウムが蒸発してあなたは解けてくるものの、その過程で細胞が死んでしまう。ついでにいうと、脳の冷凍保存を研究する施設が直面しているのもこの問題だ（問題はこれひとつじゃないが）。時間をかけてゆっくり凍らせると、細胞内の水分が雪の結晶のようなトゲを生やしてしまって細胞を破壊する。だが、液体ヘリウム風呂や研究所で短時間で冷凍すれば、トゲトゲの段階は回避でき、脳細胞がとり返しのつかない損傷を受けることがない。

問題は、短時間で解凍する方法がないことだ。だから、室温に戻る過程で氷が再結晶化し、トゲを生やして結局は細胞を破壊することになる。

壊れた細胞は死んだ細胞だ。死んだ細胞は二度と生きかえらない。つまり、あなたの場合はターミネーターと違って「アイル・ビー・バック（また戻ってくる）」とはいかないのである。

16 宇宙空間からスカイダイビングしたら

スカイダイビングの世界最高高度記録は四万一四一九メートル。二〇一四年一〇月にグーグル社副社長のアラン・ユースタスが、ニューメキシコ州で打ちたてたものである。このときは音速を超える時速一三二二キロで落下したためにソニックブームが起き、その大音響は地上まで届いた。でも、ユースタスは「宇宙空間」からダイブしたわけじゃない。じゃあどこからが宇宙空間かといえば、「地上一〇〇キロ以上」と定義されている。誰かが適当に線を引いたような気がしなくもないが、そこには立派な理由がある。[1]でもあなたはそんな理由にまるで興味がなく、とにかく世界記録を更新するんだと決めてしまったとしよう。しかも、そう簡単に記録が破られちゃ困るので、国際宇宙ステーション（ＩＳＳ）から飛びおりることにする。高度約四〇〇キロからだ。

まずは宇宙服と酸素を調達して、しばらく生きていられるようにする必要がある（それがないとどうなるかは9章参照のこと）。ＩＳＳを離れて最初の難題は、行きたい場所にどうやってたどり着くかだ。あなたもＩＳＳと同じように地球に向かって落下してはいるのだが、やはりＩＳＳと同じように秒速約八キロで横向きに動いている。この横への移動が速すぎて、地球に落ちたくても落ちていけない。これが「軌道」というものだ。少しややこしいが、こんなふうに考えてみてほしい。仮に地球に山がなく、空気抵抗もないとしよう。誰かがあなたを大砲から撃ちだして、あなたは地上二メートルの高さを秒速八キロで飛んでいく。重力が働いて、その二メートルの高さからあなたを引きずりおろそうとするものの、その間にあなたはずいぶん先まで進んでいるため、地面もまた（地球が球体だから）二メートル分下がっている。[2]

　ＩＳＳの場合も同じで、高さがずいぶん違うだけだ。

　ＩＳＳから飛びだしたら、地球に落ちていくことについてはなんの手助けもいらない。すぐに重力が働いてちゃんと面倒をみてくれる。だが、そのままでは横向きのスピードをゆるめることができず、それができない限りいつまでたっても地球に降りられない。そこで、あなたのために減速用のロケットエンジンをプレゼントするとしよう。ソユーズ宇宙船が地球に帰還するときと同じことをやるわけだ。

　横向きのスピードが落ちると、やがて例の（適当に決めた）地上一〇〇キロの高度に差しかかる。この時点であなたの落下速度はマッハ二五（つまり音速の二五倍）。世界最速の有人飛行機は高高度極超音速実験機の「X－15」で、かつてマッハ六・七という記録を叩きだしたことがある（ロケットにコックピットをつけたようなものだと思えばいい）。ところが機体が溶けだしてしまったため、その速さを持続させることはできなかった。

あなたの速度はその数倍だ。マッハ二五は人類史上最速とはいえないものの（アポロ10号が大気圏に再突入したときにマッハ三二を記録）、かなりいい線まで迫っている。しかも、アポロの乗組員が熱シールドに守られていたのに対し、あなたにはそれがない。

1　地球の大気はどこかを境に消えてなくなるわけじゃない。ただ単に、高度が上がるにつれてどんどん薄くなっていく。高度一〇〇キロでも多少の大気は存在するが、これほどの高さになると、航空機は軌道速度（物体が一定の軌道を描いて動くのに要する速さ）で進まないと浮いていることができない。宇宙空間を定義する条件としては、これで十分のように思えたわけである。

2　ということは、仮に古代人が正しくて地球が平面だったとしたら、けっして地球の軌道を回れないことになる。ちなみに、秒速八キロというのはどんな弾丸よりも速いが、月であればわずか秒速一・一キロほどで軌道に乗れる。これはライフルの弾より遅いので、ライフルをぶっ放したら銃弾は月を一周して後頭部に命中する。

となると、ちょっとばかり厄介なことがもちあがる。マッハ二五といえば時速三万キロ超だ。国際宇宙ステーションの高度なら大気がほとんどないからそれでもいいが、大気圏に入れば空気が濃くなって速度が落ちはじめる。その減速のプロセスが苦痛を伴う。なにしろ、進行方向にある空気がなかなかどいてくれない。そのせいで色々な問題がもちあがるわけだが、とりあえず大きな三つに絞るとしよう。

まずひとつは、体にG力がかかることだ。減速が短時間のうちに起きるため、あなたの体重は一時的に二〇〇〇キロを超える。アメリカ空軍のジョン・スタップ大佐が証明したように、人間は一瞬なら四六Gに耐えられるものの、あなたの場合は何秒にもわたって三〇Gを受けつづけるわけだから間違いなく命はない。気道や肺のようにほかより柔らかい部分は、負荷がかかって潰れるだろう。

もうひとつの問題が風だ。マッハ二五ともなると風がすさまじい速さで吹きあたるため、体はくるくる回転したあげくにばらばらになる。人工衛星が役目を終えて地球に落下するとき、けっしてひと塊で落ちてくることはない。いくつもの破片に分かれる。人工衛星ですらそうなのだ。金属が溶接されて、すべてがあなたの手足よりしっかりくっついているのに、である。大気圏に突入したら、岩石だって砕ける。

三つ目の問題は熱である。空気が目の前からすぐにどいてくれないと、それはみんな圧縮されることになり、圧縮された空気は熱くなる。アメリカ空軍の超音速・高高度戦略偵察機「SR－71」の場合、翼が熱をもって三〇〇℃を超えた。しかも、わずかマッハ三で。

マッハ二五なら、岩石が溶けるくらいに空気が熱くなる。この高温に耐えるため、スペースシャトルには耐熱タイルが使用されていた。これは繊維状の鉱物からつくられていて、高い融点と低い熱伝導性を特徴とする。おかげで、オーブンで一二〇〇℃に熱しても素手でつかむことができる。[3] スペースシャトル「コロンビア号」の事故のときはこの耐熱タイルが損傷し、大気圏再突入時に高温の圧縮空気が船内に入りこんで機体が空中分解を起こした。[4]

あなたの場合は耐熱タイルに守ってもらえないので、熱をまともに受けることになる。高熱でまずあなたの肉は煮え、十分な酸素があれば燃えて炭化し、最後には約一

3　この実演の模様が収められた素晴らしいユーチューブ動画がある（"Space Shuttle Thermal Tile Demonstration"で検索）。

4　スペースシャトルでは、超低温の外部燃料タンクを保護するのに発泡断熱材が使用されていた。それが発射の際に剝落し、耐熱パネルを直撃して穴をあけたことが事故の原因となった。今後新しい宇宙輸送システムが導入されるときには、万が一タイルが損傷しても深刻な事態を招かぬよう、外部燃料タンクはシャトル本体より低い位置に設置されることになるだろう。

六〇〇℃超の熱を浴びて蒸発する。

蒸発というのは、分子が個々の原子に分解されることなので、あなたは炭素・水素・酸素・窒素のガスとなって漂うことになる。もっともその原子ですら、すさまじい高温には耐えられない。

熱が原子から電子を引きはがし、あなたは輝くプラズマとなって落ちてくる。[5]

せめてもの救いは、最期がじつにきらびやかなものになることだ。地上から眺めたら、あなたは炎の尾を引きながら空を翔けていくように見えるだろう。どんな流れ星より明るいので、昼間でもはっきりわかる。

一般的な流れ星の例に漏れず、あなたのひとかけらたりとも地上に降りてくることはない。少なくともしばらくのあいだは。代わりにあなたはばらばらのプラズマとなって、大気中を軽やかに漂うことになる。

それでも、いつかはあなたの孤独な原子核が新たな電子と巡りあい、再び完全な原子となる。そして、はらはらと地表に舞いおりて、史上最高高度のスカイダイビングを完結させるのだ。

あなたの体には数えきれないほどの原子が詰まっていた。だから、いずれそれらが大気全体に広がれば、少なくともそのひとつを地球の誰もが吸いこむことになるだろう。はるかな未来まで、ずっと。

5　お気の毒だが、あなたの体は一部たりとも残りはしないだろう。二トン以上ある氷の塊でさえ、地球に落ちてきたら大気圏内で完全に燃えつきる。そして、人間の耐久性は氷と比べてたいして高くない。

17　タイムトラベルをしたら

過去をふり返ってみると、ほとんどの期間を通して地球はずいぶん住みにくい場所だった。「暑すぎる」か「寒すぎる」か、「ちょうどいいけど怖い天敵だらけ」か、しかない。でもあなたはそれを自分の目で確かめてみたくなり、タイムマシンに乗りこむことにした。たどり着いた時代に応じてどんなことが起きそうかというと……

四六億年前

地球は形成が始まったばかりで、まだ存在していない。あなたが足を踏みいれるのは、ガスの雲と塵が一緒くたになって自らの重力で潰れていく世界だ。宇宙のガラクタがたくさんあたりを漂っている。ゆっくり飛んできて、あなたに当たって跳ねかえるのもあれば、弾丸の何倍もの猛スピードで過ぎさっていく岩石もある。そんなやつに命中されたら、体にきれいな穴があくだろう。でも、そういうことは起こりそうにない。もっと根本的な問題があるからだ。つまり、地球がまだ宇宙くずの寄せあつめにすぎず、表面も大気もないってこと。要するにあなたは真空中に降りたつことになる。一五秒で意識を失い、数分で窒息死するのを覚悟したほうがいい。

地球は現在建設中。またあとで様子を見にきてみよう。

四五億年前

やった、地球に表面がある！　ただ、その表面が溶岩でできているのがつらいところ。窒息するチャンスすらもらえないうちに、あなたは生きたまま焼かれる羽目になる。まだ固い岩石はなく、何もかもが溶けていて熱々だ。地球には大気も生まれてはいるけれど、そこには酸素がいっさい含まれていない。でも、そんなことを心配している暇はない。なんたって（くどいようだが）溶岩の中に立っているんだから。ちなみに、大気にはヘリウムがたっぷりなので、あなたが断末魔の叫びを上げると甲高いおかしな声が響くだろう。

今は冥王代の真っ只中。字面（じづら）の通り、禍々（まがまが）しいことこの上ない。次はもっと運に恵まれますように。

四四億年前

訪ねるならこの時代のほうが多少はましだろう。地球の表面がすでに冷えているからだ。これまでに発見されている世界最古の岩石は、おおよそこの時代に遡る。だから、少なくとも何かの上には立てそうだ。

あいにく地球にはまだ、紫外線をブロックするオゾン層ができていない。そのため皮膚は一五秒でひどい日焼けを起こす。

おまけに酸素の問題もある。要は、ないのだ、酸素が。当然ながらあなたは窒息死する。そうだ、タイムマシンを降りたら息を止めるといい。そうすれば一分くらいは時間が稼げるかもしれない。それに、大気にはメタンと二酸化硫黄とアンモニアが渦巻いているので、うっかり息を吸おうもんなら最後の記憶が腐った卵の匂いになってしまう。

三八億年前

ようやく泳いでから死ねるようになった！

初期の太陽系はまだめちゃくちゃで、岩の塊がすごいスピードで飛びかっていた。地球も絶え間なく隕石の爆撃を受けていた。でも、この隕石は「新しい気体」というプレゼントをもってきてくれ、それが地球自体から立ちのぼるガスと合わさって大気ができている。さらには雨が降り、海が誕生した。この時代になると、もう腐った卵の匂いもしない。

今じゃ生命も誕生していて、シアノバクテリアという微生物が地球にすみついている。だからもう、少なくとも孤独死する心配はない。

そうはいってもまだ酸素がないから、窒息は避けられない。それに、ものすごく運が悪ければ隕石に潰されるか、頭上をかすめた隕石にこんがり焼かれるかするだろう。さもなきゃ、隕石落下の衝撃で発生した津波に呑みこまれるか。

一四億年前

ついに息ができる！　微生物が海で暮らしだしたのはかれこれ数十億年前からだけれど、一〇億年ほど前頃から気の利いたことをするやつが現われた。藍藻(らんそう)だ。こいつが、大気に多量に含まれる二酸化炭素を餌にし、無用の副産物として酸素を吐きだしはじめたのである。この「光合成」という新技術を武器に藍藻は大いに繁栄し、その後の数百万年で大気全体の組成を変えてしまった。

ただ、ほかの生物にとって酸素は有毒である。せっかく前の大気のもとでなんの問題もなく暮らしていたのに、この地球初の深刻な大気汚染のせいでほとんどが絶滅してしまった。

でも、あなたにしてみれば酸素はありがたい。もっとも、大気に占める割合は四パーセントしかなく、ヒマラヤのシェルパでもない限りあなたは二一パーセントの酸素に適応している。酸素濃度四パーセントというのは、高度一万メートル近くで息を吸うのと同じ。不可能じゃないけれど、訓練がいる。だから、タイムマシンに乗りこむ前にヒマラヤに行って、高地トレーニングを積んでおいたほうがいい。[1]

酸素の問題さえどうにかなれば、川で真水を飲むことができる。ただし、食べられるような動物はいないし、植物にしたって藻より大きいものはない。おまけに、この藍藻が現代の子孫と似たようなものだとすれば（確かめようがないが）、シアノトキシンをもっている。シアノトキシンは自然界で最強クラスの毒素だ。口に入れたら、腸や横隔膜などが麻痺して息ができなくなる。

つまり、一四億年前の地球を訪ねたら、地元の珍味に手を出さないと飢え死にし、手を出したら出したで窒息死が待っている。

五億年前

この時代を生きのびられるかどうかは、あなたがどこに現われるかによって変わってくる。おすすめは海辺だ。まだ海からは何も上陸してきていないから陸地には生命の気配がないものの、海はたくさんの生物で賑わっている。ここなら勝ち目はある。

空気中の酸素濃度もずいぶん高くなっているので数分より長く呼吸ができるし、食べられそうな貝類もいる。でも、水中では十分にご用心を。ヒトより大きな魚がうろついていて、貝殻をもたないあなたは旨そうなローストポークも同然だ。巨大なヒルもいて、あなたの脇腹に穴をあけて内臓を吸いだすのもお手の物である。

オゾン層はまだ形成なかばなので、業務用の超強力な日焼け止め（SPF二五〇くらいの）を塗りこみ、ちゃんとしたサングラスをかけていったほうがいい（ないと紫外線のせいで一五分で角膜が焼ける）。

そういった個々の問題はあるにせよ、全体でみるとようやくあなたにも生きられる望みが出てきた。

四億五〇〇〇万年前

オゾン層が完成したので、もうひどい日焼けを心配せずに冒険に出られる。海は生

1　低酸素の環境にはほかにも問題がある。タイムトラベル中に切り傷をつくると、それが治らないのだ。なぜか。体が傷を癒すにはエネルギーが必要なのだが、酸素が十分にないとそれだけのエネルギーを生みだせない。ついでにいうと出産も無理だ。妊婦と赤ちゃんが分けあえるだけの酸素が存在しないからである。

命にあふれ、川にも魚がいる。だから命をつなぐことに問題はない。それでも、丈の高い樹木はまだ存在しないから、日陰を見つけるのは難しい。陸地で食料を探すのも骨が折れるだろう。

三億七〇〇〇万年前

時はデボン紀後期。サバイバル生活に興味のあるタイムトラベラーにとっては「当たり」の時代かもしれない。陸上にも生物がいて、日陰になる木も生えているし、食べられそうな植物もある。あなたを餌にするような大型動物の姿もない。昆虫が湧いてくるのはまだ数千万年先だから、その点も嬉しい。

ただし、タイミングを外さないように注意しよう。というのも、少しずつ涼しくなりだしているからだ。木はたくさん茂っているとはいえ、その木が枯れたあとに分解する微生物がまだいない。そのせいで、木の中に蓄えられていた二酸化炭素が大気中に戻っていかないのだ。[2] 地球の気温は大気中の二酸化炭素濃度に左右される。少ないと温室効果が弱まって、地球温暖化とは反対の現象につながる。つまりは氷河期だ。幸い、次の氷河期までにはまだしばらくあるのでご安心を。

この時代はぼくらのおすすめだ。呼吸できる空気があり、食べ物が見つかり、木陰で休むことができて、しかも……蚊がいない。

三億年前

大気中の酸素濃度が大幅に上昇して、最大で三五パーセントにも（現代は二一パーセント）なっている。おかげで巨大な昆虫が現われた。[3]ピンとこないかもしれないので具体的にいうと、たとえばカモメ大の捕食性トンボに、長さ二・五メートルのムカデ。体長一メートル近いサソリに、どでかいゴキブリだ。

あなたが虫嫌いなら、この時代はおすすめできない。

二億五〇〇〇万年前

あーあ、なんと間の悪い。あと五〇〇〇万年早いか遅いかしていたらよかったのに。海洋生物のあろうことか、この時代には地球史上最悪の大量絶滅がまさに進行中だ。

2　このとき腐らなかった樹木が、今私たちが発電の原料にしている石炭になった。いいかえれば、そのとき放出されずに氷河期をもたらした二酸化炭素が、今になって大気中に吐きだされて地球温暖化を招いているわけである。

3　昆虫は皮膚（つまりクチクラ）を通して酸素を取りこむ。そのため、表面積に比して体の体積が大きすぎると、酸素を体内に行きわたらせることができない。だが、酸素自体の量が増えれば体がでかくても大丈夫なので、それでイヌ大のサソリが誕生したというわけ。

約九六パーセントと陸上生物の約七〇パーセントが死滅し、生物多様性が回復するまでに一〇〇〇万年を要することになる。

何がこの大量絶滅を引きおこしたのかについては、正確なところは科学者にもわからない。ある有力な説によれば、巨大な火山がいくつも噴火して「洪水玄武岩」と呼ばれる噴出物が大量に吐きだされ、現在のインドくらいの面積を覆いつくした。その過程で多量のメタンガスが放出されたために、大気の組成が変わったんじゃないかという。

理由はどうあれ、大量絶滅の打撃を一番こうむるのは、腹を減らして図体のでかい生物と相場が決まっている。つまり、あなただ。食べるものがないうえに、火山説が正しければ空気もおかしなことになっている。

「巨大火山死」とでもいっておこうかな。ご愁傷様。

二億一五〇〇万年前

すでに恐竜が現われていて、この先一億五〇〇〇万年ばかり地球上を闊歩（かっぽ）することになる。運動神経のよくない人にとっては危険な時代だ。

ティラノサウルス・レックスはあと一億四八〇〇万年くらいたたないと出てこない。だからって安全というわけじゃない。ポストスクスと呼ばれる巨大なワニは嬉々としてあなたにかぶりつこうとするし、コエロフィシスというハイエナ・タイプの恐竜もあなたが死骸になるのを待っている。

ありがたいことに、そうした動物のほぼすべては地上生活の獲物のみを狙っている。翼竜やプテラノドンのような空飛ぶ恐竜が関心をもつのも、あなたより小型の生物だ。だから、できるだけ木の上で暮らすようにすればうまいこと助かるかもしれない。

この時代には様々な植物が見られるものの、現代のものとは少し様子が違っている。たとえば、花を咲かせる植物が出現するのはまだ数千万年先なので、全体に色合いが欠けてどうにも陰鬱だ。

食べ物はどうかといえば、魚を捕まえたり、小動物を槍で仕留めたりすることができるし、タンパク質の補給に卵を盗んでもいい（親に見つからないよう注意！）。

食用になる植物もあるにはあるが、手を出すときには用心しよう。毒をもつものがある。疑わしいときは、いつの世も変わらぬ鉄則に従うといい。つまり、少しずつ口に入れ、食べすぎは禁物。気分が悪くなったら、できるだけ早く吐きだすべし。

まとめると、逃げ足の速さに自信があり、地元の食材に十分な注意を払って、素敵なツリーハウスを建てられれば、命をつなぐチャンスがある。

六五〇〇万年前

ユカタン半島に降りたつのはやめよう。大きな宇宙の岩石が今まさにそちら方面に向かっている(隕石が当たったらどう死ぬかについては6章参照のこと)。というより、この時代を丸ごと避けたほうがいい。たとえ地球の裏側にいても、最終的にはその隕石のせいで一巻の終わりとなるから。

三二〇万年前

これはルーシーが生きていた時代だ。ルーシーは猿人で、ホモ・サピエンスの祖先のなかでは一番有名である。祖先たちはちょうど森から出て、草原で暮らしはじめたところだ。あなたにとってそれは好都合でもあり、不都合でもある。好都合だというのは、その環境で人類が生きていけることを私たちは知っているから。不都合だというのは、あなたがまさにその祖先に殺されても少しもおかしくないからだ。ルーシーは現代人よりだいぶ背が低かったけれど、力は相当に強かった。一対一の勝負になったら勝ち目はない。

それに、このときは人類がまだ食物連鎖の中間くらいに位置していたのをお忘れなく。サーベルタイガーみたいな大型の捕食動物があたりをうろついている。ルーシーは仲間と集団で暮らしているから死なずに済んでいるのであって、あなたの場合にはたぶんそのオプションがついていない。

だから同類の猿人たちにはぐれぐれも親切に。みんなに助けてもらう以外に助かる道はない。

さて、あなたのタイムマシンが後ろ向きだけでなく前向きにも進めるのなら、一か八か遠い未来に賭けてみたいと思うんじゃないだろうか。「未来はどうなるかわからない」なんて言葉、耳にタコができるほど聞かされているんでは？　でも何を隠そう、かなりのことが明らかになっている。ひと言でいえばバラ色じゃない。たぶんこんな具合になるはず……

今から一〇億年後

太陽はじわじわと熱くなりはじめている。なぜかって？　中心核にある燃料の水素を使いきってしまうと、それより圧力の低い核の外側で核融合反応が起きるようになる。その結果、太陽は膨張する。相対的に表面温度が下がるとはいえ、その表面が前よりはるかに広くなるので、地球が浴びる熱の量も増えるというわけだ。

この変化は日々実感できるたぐいのものじゃないが、一億年単位でみれば違いが際立つ。一〇億年もすると地球の平均気温はおよそ四六℃に達し（現在は約一六℃）、あまりの暑さに海は蒸発しているはずだ。

これが「乾いた暑さ」だったら、四六℃でもしのげるかもしれない。でも、地球の水という水が蒸気になったわけだから、じめじめと湿気が多いことこの上ない。

要は地球が巨大な加湿器と化していて、あなたの命は数分しかもたないだろう。

今から五〇億年あまりあと

太陽はふくれあがって、すでに水星を呑みこんでしまっている。きっと見事な夕焼けが見られるはずだ。あいにくあなたには数秒の猶予しかないので、ゆっくり味わっている暇はない。

二一世紀の現在、片手を前に伸ばせば小指の先で太陽を隠すことができる。ところが今から三〇億年後には、同じことをするのにスイカをもつ必要がある。五〇億年後には太陽が空いっぱいに広がることになり……それはあなたにとって不吉な予兆でしかない。

今から七五億年あまりあと

宇宙の何がきれいかって、惑星状星雲にまさるものはないんじゃないだろうか。これは、死にゆく恒星が外側のガスを放出し、それがまるで炎のように絢爛(けんらん)豪華な光を放つものだ。

でも、惑星状星雲は花火と同じ。遠くから眺めているのが一番楽しい。太陽が最後の舞台を務めているときにあなたが地球にいるというのは、いくらなんでも近すぎる。素晴らしく美しいだろうが、確実に命取りだ。

18 人混みで将棋倒しに巻きこまれたら

プリンストン大学の著名な人口学者であるアンスリー・コールはかつて、このまま地球の人口が急激な増加を続けていったらどうなるかを計算してみた。結論――数千年後に人類はひとかたまりの球になり、宇宙空間に向けて光速で膨張していくだろう。なんとも胸躍る光景だが、この説には問題がある。そしてその問題は、あなたが出かける次のロックコンサートで現実のものになるかもしれない。そう、将棋倒しだ。

将棋倒しと聞くと、アフリカのサバンナをやみくもに突進するヌーの群れのように、大勢の人間が逃げまどっているのを思いうかべるんじゃないだろうか。でも、走れるうちは本当に危険な将棋倒しは起きない。危ないのは、まったく身動きができないときだ。

だから将棋倒しというより「押しつぶされる」といったほうがいいかもしれない。

これは普通、パニックではなく熱狂の結果として起きる。つまり、嫌なものから逃げるんじゃなく、欲しいものに向かっていくわけだ。雑踏でもみくちゃにされると、いくつか厄介な問題に直面する。手始めは、フェロモンがないことである。

雑踏がなぜ危険になるかといえば、ヒトという生物が集団行動に向いていないからだ。アリのようなわけにはいかないのである。アリが群れで行進するとき、先頭のアリがフェロモンを出して後ろのアリとコミュニケーションをとっている。進路がふさがっていたら、別の道を通るようにフェロモンがアリたちに伝えてくれる。

あなたにはそういうフェロモンがない。だから誰かがつまずいたら、後ろから来る面々に「止まれ」と指示するすべがない。

人数が多く、しかも混みあった集団内で、コミュニケーションができないのは深刻な問題だ。じゃあ、そもそも大きくて混みあった群集が生まれる理由はなんだろうか。大きさに関していうと、「群集」と呼べるほどの人数になっただけであなたを殺すに十分なのだが、それについてはあとで詳しく話そう。もっと重要な要素は密度だ。群集の密度は、一平方メートルあたりに何人いるかで表わされる。

一平方メートルというと、死体のまわりを警官がチョークで囲う、あの面積とだいたい同じである。その仮想チョークの中に、平均して何人詰めこまれているかが群集密度だ。

平均ふたりだと、それなりに混みあってはいても、難なく歩けて人同士が接触することもほとんどない。この密度が倍になるとかなりの混雑になって、人と頻繁にぶつかりあったり、どうにかすり抜けたり。それでもまだ動くことはできる。危なくなってくるのは一平方メートルあたり六人からだ。つねに隣の人と体が触れ、ほとんど身動きがとれない。

さらにひとり増えて七人ともなると、一般的なサイズのエレベーターに二一人を詰めこむようなもの。ラッシュアワー時の東京の地下鉄みたいな感じだ。死亡事故につながる雑踏の群集密度はこのレベルが多い。

この密度になると群集は人間のふりをするのをやめ、液体に近くなってくる。後ろのほうの人が前の人を押すと強力な波が発生し、より大勢の人を巻きこみながら勢いを増していく。この波に呑まれたら、あなたの体は浮きあがってなすすべもなく運ばれていく。どこに落とされるかはそのときの成りゆき次第。隣の人が転んだら体を支えてくれるものがなくなるから、あなたも倒れるしかない。いわゆる将棋倒しだ。下敷きになったらたまったもんじゃない。

たまたまあなたがこの手の雑踏（宗教行事、スポーツ大会、コンサートなどに多い）に身を置いてしまったらどうなるか。たとえ最初は悪気のないぶつかり合いでも、それがあっというまに恐ろしいぎゅうぎゅう詰めへと変わる場合がある。気づいたときには腕も上げられなければ逃げだすこともできず、群集の動きのなすがままになる。倒れるのが危険なのはいうまでもないが、倒れなくても十分大変なことになる。群集の中に発生する波は一方向とは限らない。別々の方向からふたつの波がやって来たら、仮に足が地面に着いていてもふたつの力にはさまれてその場に釘づけになる。力は群集によって増幅されるので、この状態があなたの命を脅かすのに時間はかからない。

ごく平均的な人間の場合、何かを押す力は最大で二二〜二三キロくらい。混雑したエレベーターみたいに四〜五人から圧迫を受ける程度なら、不快ではあっても危険なレベルにはならない。雑踏でもみくちゃになっているときでも、ひとりひとりはけっして全力で押しているわけじゃなく、普通はせいぜい二〜五キロといったところだ。ところが数千人規模の群集になると、その力が増幅されて横隔膜に危険な負荷がかかる。

胸を数センチふくらまさないことには息ができない。幸い横隔膜は頑丈だ。健康な人間なら、胸に一八〇キロの重りをのせても二日間は呼吸できる。あいにく、押しつぶそうとする雑踏の圧力は横隔膜の能力を上回る。雑踏事故のあとで実況見分をしてみると、数千キロの荷重に耐えるスチール製の柵がぐにゃりと曲がっていることもあるほどだ。

一平方メートルあたり七人なら人が亡くなっても不思議はないとさっき書いたが、この数字はあくまで群集全体でならした平均値。あなたが命を落としかけている地点にだけ注目したら、たぶん一平方メートルあたり一〇人以上になっている。それほどの人数がひしめこうと思ったら、異常なほどの力がかからなければ不可能だ。平均サイズのエレベーターに二八人詰めこむようなもので、迷惑な客二〜三人が無理やり乗ってくるくらいでできることじゃない。何千人もの人か、さもなきゃブルドーザーに後ろから押してもらう必要がある。

雑踏の中で二方向から来た波にはさまれたら、もしくは将棋倒しが起きて六人の下敷きになったら、その混み混みのエレベーターに乗った状態で後ろからブルドーザーに押されるのと同じ。五〇〇キロくらいの力が横隔膜にかかり、呼吸なんて一回すらできないだろう。

その状況を体感してみたいならプールで水深一メートルまで潜り、長いストローを通して息を吸ってみるといい。でも、そこまでの手間をかけさせるに忍びないので、結果を教えてあげよう。そんなことは不可能だ。雑踏で身動きがとれなくなるにせよ、水の中にせよ、五〇〇キロの圧力が胸にかかったら一五秒で意識を失う。その状態が四分以上続けば、脳はとり返しのつかない損傷を受けて死に至る。

要するに、人口学者のアンスリー・コールは間違っていたわけだ。人類がひとかたまりの球になって光速で膨張する？ってことは、人間は果てしなく積みかさなった状態で暮らしている？とんでもない。だって雑踏事故の事例から考えれば、生きた状態で折りかさなれるのは六人までなんだから。

1　なんで知っているかといえば、実際にそういう事例があったからだ。一六九二年に植民地時代のアメリカで、ジャイルズ・コーリーという男が魔女裁判にかけられた。男は胸に重さ約一八〇キロの石をのせられて圧死させられたものの、息を引きとるのには二日間かかった。最後の言葉はなんだったのかって？「もっと重さを」だ。

19 ブラックホールに身を投げたら

アメリカの天体物理学者ニール・ドグラース・タイソンによれば、宇宙で最も華々しい死に方はブラックホールに飛びこむことらしい。宇宙じゃ絶命する方法に事欠かないことを思うと（というより、宇宙には命を落とす方法しかなく、命が助かる場所を見つけるほうがよっぽど華々しい快挙だという気はするが）、この言葉は注目に値する。

じゃあ、そもそもブラックホールとはなんなのだろうか。ごく簡単にまとめると、それは次のようにつくられる。

一．初めは、太陽の二〇倍より大きい質量をもつ恒星としてスタートする。

二．いずれその恒星は燃料をすべて燃やしつくす。これには時間がかかる。

三．恒星の中心部で核融合反応がまったく起きなくなると、星はもはや自らの重力に耐えきれなくなり、外殻が光速の四分の一という速度で急激に中心に向かって落ちこむ。

四．あなたがたまたまこの崩壊を目撃したら、すぐに逃げたほうがいい。二〜三時間もすると、衝撃波が鉄のコアに当たって表面に跳ねかえってくる。そうなったら星は爆発し、恒星一〇〇〇億個の銀河と同じくらいのエネルギーを瞬時に放出する。

五．吹きとばなかった中心部は自らの重力で収縮を続ける。やがて、とても小さいが（サンフランシスコくらいのサイズ）巨大な質量をもつ（太陽の五倍）ものが残る。その引力はとてつもなく強力なので、脱出速度（物体が天体の引力にうち勝ってその天体から飛び去ることのできる最小限の速度）が光速を上回る。つまり光ですら逃げだせない。それがブラックホールだ。

さて、そんなところに頭から飛びこんだらいったいどうなるだろう。

まず最初に、一度入ったら二度と戻れないという覚悟を決めないといけない。ブラックホールから再び出てきたければ、「事象の地平線」と呼ばれる境界を越えねばならず、それには光速より速く進む必要がある。で、そんなことは不可能だ。

現時点で最速の人工物は無人太陽探査機の「ヘリオス」で、これは太陽の周回軌道に入ったあとで時速二五万二七九二キロを記録している。相当に速いが、それでも光速の〇・〇二パーセントほどでしかない。アインシュタインが無理だというスピードで飛びだせない限りは、あなたがブラックホールの中で最期を迎えるのは避けられない。

とはいえ、どのように死ぬかはブラックホールの種類によって違ってくる。まず検討すべきは、「恒星ブラックホール」と呼ばれる小型のものに飛びこむことだ。

するとどうなるだろうか。まず、足が宇宙船を離れた瞬間から、あなたはブラックホールに向かって自由落下を始める。ただしこれは、そんじょそこらの自由落下とはわけが違う。事象の地平線に達する頃には、落下速度が光速（秒速約三〇万キロ）にかなり近づくからだ。

面白いことに、そんな状態になってもあなたは平気である。普通だったら、宇宙を光速で旅するのはおすすめできない。それは、速さや加速度が危険だからじゃなく、色々なものにぶつかってしまうからだ。そこまでのスピードが出ていると、ごくごく小さな粒子であっても厄介なことを引きおこす。宇宙空間というのは完全な真空ではなく、水素が漂っている。光速に近い速さで進んでいるときにこの水素にぶち当たったら、原子破壊能力のある銃弾を撃ちこまれるようなもの。水素が体を通りぬけ、そのときあなたの原子核を壊す。これじゃあ助かる見込みはない。

ところが、ほとんどのブラックホールは純粋な真空にとり巻かれているので、命にかかわるほどの水素を浴びなくて済む。なので、まわりをガスが公転しているような、そういうたちの悪いブラックホールにだけは飛びこまないように気をつけよう。

正しいブラックホールを選びさえすれば、光速近くまで加速するのもつつがなく進むはずだ。ただ、ブラックホールに近づくにつれて、あなたは体が引きのばされるような感覚を味わうことになる。重力が劇的に増すために、引っぱる力は足より頭のほうに強くかかる（腰を折った「えび型」でダイブしていたら別だが）。おかげで、足がどんどん頭から遠ざかっていく。

初めのうちは、カイロプラクティックで優しく引っぱられているような心地よさがあるかもしれない。でも、たちまちそれは不快感に変わり、あなたは自分が大変なことになりつつあるのに気づく。

このように、重力源から近い場所と遠い場所とでは重力の加速度が異なるものであり、こうした力の差を「潮汐力」という。あなたが潮汐力を受けたら、最終的には体がばらばらになる。頭と足を電車に結びつけられて、それぞれが反対方向に走りだすようなものだ[1]。手始めに体の一番弱いところからちぎれるので、だいたいそのあたりだろう。ここには脊髄が通っているほかは、柔らかいぜい肉が詰まっているだけである。ちぎれたにしても、生死にかかわる臓器は下半分には入っていないし、失血死するにも少し時間がかかる。だからまだ死なない。すぐには。けれど、ブラックホールの中心に迫るにつれて潮汐力は大きくなっていき、あなたはまたひき裂かれる。何度も何度も。しまいには、特異点（密度や重力が無限大になってすべての物理法則が成りたたなくなる場所）目がけて頭だけが猛スピードで飛んでいく。そしてやがてはその頭も潮汐力の餌食となる。

これらはすべて、ごくごく短いあいだに起きる。現場を撮影してもらってスロー再生で見ないことには、何がどうなったのかわからないだろう。肉眼では、ただ単にあなたは消えうせる。

すでに十分恐ろしいが、こんなのはまだまだ序の口だ。ブラックホールの重力は体を引きのばすだけでなく、締めつけもする。いわば究極のコルセットだ。やがてその力は、あなたをつくっている物質の化学結合よりも大きくなる。つまり重力はあなたの分子までをもばらばらにするわけだ。ついにあなたは、一列に並んだ原子の行進として特異点につき進むだけの存在になる。

ブラックホールからは光ですら逃げだせない。だから、理論上あるとされるこの特異点がどんな姿なのかもわからなければ、中に入ったあなたがどんな様子になっているのかも知りようがない。とはいえ、確かなこともひとつある。あなたがブラックホールのどこでどんな形態をとっていようとも、そこが最後の安息の地にはならないということだ。ブラックホールからは「ホーキング放射」という熱的放射が少しずつ漏れだしていくので、最終的にブラックホールは完全に蒸発する。つまり、何百億年もたったあるとき、あなたの残骸はわずかな光子として再び事象の地平線からほとばしり出るのだ。[2]

1　中世の処刑法には、絞首刑にされてからはらわたを抜かれ、さらに四つ裂きにされるというのがあった。電車の代わりに使われたのは馬である。だが、馬はブラックホールほど強くないので、罪人をひき裂けないことがあった。そんなときは、首切り役人の斧の一撃に手伝ってもらったという。

2　ここから話がややこしくなってくる。さっきは「光速より速くないとブラックホールから出られない」と書いた。それに間違いはない。また、アインシュタインのおかげで、質量をもつ物体はけっして光速を超えられないことも私たちは知っている。だったら、どうして「放射」となってブラックホールから抜けだせるんだろうか。じつは、USBなどのフラッシュメモリからファイルを取りだすのと同じ原理が働いている。フラッシュメモリの中では、「エネルギー井戸」に電子が蓄えられている。電子は「トンネル効果」と呼ばれる量子力学的なプロセスによって、この井戸を出入りしている。つまり、井戸の内部から消えて、中間の空間を通りぬけることなく井戸の外側に出てくることができるのだ。それと同じように、粒子はブラックホールの内側からいなくなって、事象の地平線を越えることなく外側に現われる。というわけで、ブラックホールに飛びこんだら原子がズタズタにされるのがマイナス面。プラス面は？　瞬間移動（テレポート）できるようになることだ。

でもここで振りだしに戻って、あなたに考えなおすチャンスをあげるとしよう。小型のブラックホールじゃなく、「超大質量ブラックホール」にダイブしてみるのはどうだろうか。残念ながら命が助からないことに変わりはないものの、こっちではもう少し面白いことが待っている。

超大質量ブラックホールの場合は重力の増し方がもっとゆっくりなので、事象の地平線を越えてもまだあなたは生きているはずだ。もっとも、そこから先がどうなるかは厚い謎のベールに包まれている。光はブラックホールの中から脱出できないので、内部の様子を知るすべがない。光が跳ねかえってこないから中を覗きこむこともできないし、探査機を送りこんでも事象の地平線を過ぎたら消えてしまう。信号もいっさい外には出てこない。

それでも推測はできる。死に方自体は小型ブラックホールのときとたぶん変わらない。つまり、中心の特異点から生じる潮汐力によって、スパゲッティのように細長く伸ばされるだろう。だが、事象の地平線の中に入っても生きているわけだから、最後のひとときに少し違う体験ができる。事象の地平線の向こうで宇宙船に乗っている仲間の姿が見えるのだ。ただし、目に映るすべてがゆがんでいるに違いない。なぜって、ブラックホールに入るときにあなたが押しつぶされて折りまげられたように、光も同じ目にあうからだ。だから、宇宙船の小窓から外を覗くように、あるいは水中から世界を仰ぐように、狭い視野の中に恒星も惑星もすべてが詰めこまれている。

そしてあなたは（スパゲッティになってから素粒子と化すという）最期を迎える。

20 タイタニック号に乗っていて救命ボートが見つからなかったら

一九一二年四月、イギリスの豪華客船「タイタニック号」が処女航海に出発した。ここではあなたがラッキーな二二二四人のひとりとして、この船に乗っていたとしよう。あなたは（現代の価値に換算して）三〇〇ドルをいそいそと払って三等船室の切符を手に入れ、ヨーロッパの金持ち連中の二階下でアメリカを目指した。たぶんご存知だろうが、この旅には悲惨な結末が待っている。

船が氷山と衝突したとき、乗客に残された時間は二時間あまり。そのあいだに救命ボートを見つけないといけないが、それ自体の数が十分じゃない。三等船室組で生きのこったのは女性が半数にも満たず、男性はわずか一六パーセントに留まった。[1] あなたも三等なので、たぶん救命ボートに乗るのは無理だろうから、北大西洋の海に落ちるしかない。じゃあ、そのあとはどうなるだろうか。

海水には塩分が含まれているので凝固点が下がり、〇℃では凍らない。タイタニック号が沈んだ北大西洋の海域では、水温がおよそマイナス二℃。ただでさえ水は密度が高くて熱をよく伝えるため、中にいると体温を奪われやすい。おまけにその低温だから、海水浴をするには世界有数の危険な場所といっていいだろう。体をとり巻く分子の密度は、ほんの数分前にタイタニック号のデッキに立っていたときの八〇〇倍。気温マイナス二℃の空気中にいるのと比べ、水温マイナス二℃の海中では体温が二五倍も速く低下していく。

水に落ちて急激に体温が下がったとき、まず体がする反応はハッと息を呑むことだ。そのとき頭が海面より下にあると肺に水が入るおそれがあり、そうなれば水温が何度であっても命にかかわる。だから、最初の段階では頭を水の上に出しておくように気をつけよう（本当は最後までそうできればいいのだけれど）。

次にあなたを襲う感覚は、寒さを除けばたぶん頭痛だろう。幼いうちは、自分の失敗を頭痛というかたちで思いしらされることがある。たとえば、生まれて初めてミル

1　一等船室の切符はやたらと高価（今でいえば二〇〇〇ドル近く）ではあったものの、この旅に関してはそれだけの値打ちがあった。一等の乗客は、女性の九七パーセントと男性の三二パーセントが助かっている。

クセーキを飲んだとき、一気に吸いこみすぎて脳が凍った（少なくともそんな感じに なった）経験は誰にでもあるはずだ。実際には脳じゃなく、口の天井を走っている神経が冷えた。これが起きると脳は反応する。いや、過剰に反応するといったほうがいい。頭全体が凍ったと脳は勘違いし、とりわけ温かい血液を自分にふり向けようとする。そのせいで脳がふくらみ、サイズの問題がもちあがる。つまり、でかすぎる脳を納めるには、頭蓋骨がちょっとばかり足りない。その結果として頭痛が生じ、これを「アイスクリーム頭痛」と呼ぶ。

北大西洋に落ちたときにも同じことが起こる（ただしこの場合、脳は実際に凍りかけている）。脳が温かい血液を大量に受けとってふくれあがり、あなたは激しい頭痛に見舞われる。それからの三〇秒間で低温ショックの状態に陥り、過呼吸が始まる。過呼吸が長引くと血中から二酸化炭素が除去されすぎて、血液がアルカリ性に傾く。これがあまりにひどくなれば気を失う。ちなみに、泳ぎながら気絶するのはあまりおすすめできない。

なんとか意識を保ったとしても、次は筋肉痙攣（けいれん）の発作に襲われる。要するに震えがくるのだ。震えというのは、筋肉を使うことで体が体温を上げようとするときに起きる。飛んだり跳ねたりの準備運動の代わりをやってくれていると思えばいい。あいにくこうなると、筋肉は自分の仕事が下手になる。協調運動がうまくいかなくなるのだ。

自分の家にいて、体が温まってくるのを待っているならそれでもいいだろう。だが凍えるような水の中にいるとき、その窮地を抜けられるかどうかは筋肉が頼り。なのに、勝手に引きつったり震えたりされたのではそれも当てにできない。

恐怖に直面すると、体は「闘争・逃走（戦うか逃げるか）反応」で対処しようとする。これは、生きのびるために進化が与えてくれた反応だ。あなたのショック状態と震えも、この反応が過剰に引きおこされた結果である。訓練すれば抑制できないわけじゃないが、たとえそれに成功してもいくつかの生理現象は避けられない。

ひとつは、動脈がひどく縮むために、無理に血液を送ろうとして心臓が酷使されることだ。一方、脳は優先順位を見直し、温かい血液を手足から遠ざけて重要な臓器に送りはじめる。

筋肉や神経線維の化学反応は、通常の体温のもとで最もうまく働くようにできている。神経が冷えると筋肉は力を失い、手足の先は感覚がなくなってくる。自らの保身のために脳が末端を犠牲にするおかげで、足の指は凍傷を起こす。

感覚のない状態は、初めは手首と足首から先だけだったのに、じわじわと上に這いのぼってくる。氷点下の水に一五分もつかっていると、腕全体、脚全体が何も感じなくなる。泳ぐにはいかにも都合が悪い。冷たい水の中で命を落とす直接の死因は、たいてい低体温症じゃなく溺死だ。この時点で救命胴衣を着用していなければ、あなたもそうなる。

でもここで耳寄りな情報をひとつ。何かにつかまって浮いていられれば、びっくりするほど長いあいだ生きていられる。凍るように冷たい水の中でも。

なぜかというと、人間の肉は優れた断熱材であるうえ、人体は熱を生みだすことが大得意だからである。体にヒーターが内蔵されているとでも思えばいい。普段はそのヒーターを使って深部体温を三七℃くらいに温めているが、氷水に落ちたとたんにそれは低下しはじめる。ただ、その下がり方はあなたが想像するよりゆっくりだ。体温が三二℃を切るまでに三〇～六〇分はかかる（体にどれくらい断熱材をもっているかで変わってくる）。体温が三〇～三二℃になると意識を失う。泳ぐにはまったく向かない状況だ。だが、何か浮くものに体がうまい具合に固定されていて、頭が水から出ていればまだ命をつなげる。

水に落下してから三〇分もすると、低体温症のレベルは中度を超える。それ以上に長い時間が経過すれば命にかかわる状態だ。具体的にいうと、四五～九〇分で体温は二五℃にまで下がり、心拍が停止する。普通の状況ならそのまま絶命する可能性が高いのだが、あなたの場合、まだチャンスは失われていない。

あなたの心臓はいってみればバッテリーが上がったような状態なので、その気になればまた再スタートさせることができる。本当に心配しなきゃいけないのは脳のほうだ。脳からいっさいの電気信号が出なくなったら、もう永久に一巻の終わり。ところが、まだ完全には解明されていない理由により、脳は低温だとあまり酸素を必要としなくなる。

リスクの高い心臓手術をするときには、安全措置としてまず患者の体温を下げることがかならず行なわれる。万が一何か問題が起きて、患者の脳に血液が行かなくなったときでも、そうしておけば問題を解決する時間が稼げるのだ。通常の状況下なら、血液が供給されなくなったら脳は四分で死にはじめるのに対し、低体温だと二〇分程度はもちこたえる。

スウェーデンのアンナ・ボーゲンホルムという女性は、超低温から生還した記録保持者といってもいい。アンナはスキーをしていて凍った川に落ち、氷に閉じこめられてしまった。空気だまりを見つけることはできたものの、四〇分後に心臓が停止する。ようやく救助されたときには心停止からさらに四〇分が経過していて、体温は一三・七℃にまで下がっていた。にもかかわらず、蘇生処置を施して九時間後には心拍が再開し、体温も完全に回復した。

つまり、低温は命取りだが、最終的には低温のおかげで助かる命もあるということだ。医師たちはこのことを「復温するまでは『死』ではない」と表現する。だからあなたの場合も、温まったあとも立派に死んでいて初めて、死亡を宣告されるだろう。

21 この本に殺されるとしたら

あなたはこの本を読みながら、よもや自分が殺人兵器を手にしているとは思ってもいないだろう。むしろ、これほど人畜無害なものはいまだかつて見たことがないといいたくなるかもしれない。でもそれは間違っている。この本がもつ様々なエネルギーを正しく使えば、あなたも、あなたのいる本屋も、街全体も破壊できるのだ。じゃあ、どうすれば本書を恐ろしい凶器に変えられるのか。まずはこの本のもつ運動エネルギーから考えてみよう。

本書を高いところから落としても誰かが昇天することはない。エンパイアステートビルの屋上からであっても、人に害を与えるほどの速度にはならないからだ[1]。その終端速度（加速度運動をしていた物体が空気の抵抗を受けて最終的に等速度になったときの速度）は時速四〇キロほどにすぎず、いっそ投げたほうが速いくらいである。でも、投げたとしてもたいした破壊力にはならないので、そこまでするには及ばない。時速八〇キロがせいぜいだから、当たれば痛いだろうが命まで落とすことは絶対にないといえる。

だったら、本書を専用の大砲で撃ちだしてみてはどうだろうか。

時速一六〇キロ程度で飛ぶことができれば、本書はだいたい野球のボールと同じ力で相手にぶつかる。ただ、これまた痛くはあろうがおそらく死ぬことはない（この程度のスピードの野球ボールが当たって亡くなった人はいるにはいるが）。だからもっと速度を上げてみよう。

この本が音速であなたに衝突すれば、皮膚を突きやぶって体をひっくり返す。当たりどころが腕や脚ならたぶん命に別状はない。けれど、胸にぶつかれば衝撃波で心臓が止まり、あえなく一巻の終わりとなってもおかしくない。

本書をマッハ一〇（音速の一〇倍）まで加速すると、時速一六〇キロのときの五〇〇倍のエネルギーでぶつかる。本は進みながら前方の空気を圧縮して加熱するため、

1　ただし、すべての本がこうじゃない。『オックスフォード英語辞典』の第二版（全二〇巻）などは全体の重さが八〇キロ弱なので、ひとまとまりになってエンパイアステートビルから落ちてきたら終端速度は時速三〇〇キロを超える。当たれば頭蓋骨が割れて首が折れるのは間違いない。

一六〇〇℃超の火の玉が迫ってくるようなものだ。だったら、当たる前に本が燃えつきてくれればよさそうなものだが、あいにくそうは問屋が卸さない。もちろん、どこかにじっとしていてくれるなら、燃えてなくなるほどの高温ではある。でも、いかんせん音速の一〇倍で飛んでくるので、そうなっている時間がない。代わりに、一六〇〇℃超の紙の砲弾があなたの胸にめりこむことになる。

だが、ここでやめずにもっと加速させてみようか。これまでに人工物が達成した最速のスピードはマッハ二〇〇だ。本書の速度をそこまで上げるには、巨大なポテトキャノン〔訳注　砲弾代わりにジャガイモを撃ちだす手製の大砲〕をつくらないといけない。ただし、燃料はよくあるヘアスプレーじゃなくて核爆弾だ。[2] このスピードなら本は球状のプラズマとなり、時速二四万一三〇〇キロあまりで飛んでくる。ニューヨークからサンフランシスコまで一分二秒で行ける速さだ。それがあなたにぶつかれば、体と本が粉々に吹きとんで一緒くたに混ざりあう。

以上が本書の運動エネルギーを使った場合だが、さらに大きな破壊力を生むには本の化学的特性を利用すればいい。

この本にマッチで火をつけたところで、手を温められるのがせいぜいだ。本書のもつ化学エネルギーを最大限に活用するには、チョコレートバーのカロリーを調べるときと同じことをすればいい。つまり、爆発させるのである。

食物のカロリーを測るには、その食物を乾燥させて粉末にし、純酸素を充填したスチール製の密閉容器に入れて着火する。その爆発の威力（チョコレートバーならざっとダイナマイト一本分）が食物のカロリー値になる。

この本一冊は一六〇〇キロカロリー。あなたがシロアリみたいに紙のセルロース繊維を消化できるなら、一日分よりちょっと少ないくらいの食事の量だ。本書を細かい粉にし、純酸素を満たしたスチール容器に入れて点火したら、ダイナマイト五本分の破壊力で爆発する。仮にそんな爆発が読書中に起きたらひとたまりもないだろう。でも、本書を使って起こせる爆発はまだまだこんなもんじゃない。

もっと大きな衝撃が欲しいなら、この本の核エネルギーを解きはなってみよう。あらゆる質量はエネルギーをもつ。この本も、あなたのマグカップも、あなたの座る椅子も全部だ。そしてその質量をエネルギーに変えると、一瞬にして途方もない力

2　一般的なポテトキャノンは可燃性のヘアスプレーを燃料にするが、これまでにつくられた最大のポテトキャノンは「ベルナリオ地下核実験」という名でも知られている。この実験は一九五七年にニューメキシコ州ロスアラモスで行なわれた。軍は地下深くまで縦穴を掘って底に小型核爆弾を設置し、その穴を大きな金属の蓋で覆った。そして高速度カメラの照準をその蓋に合わせたうえで、爆弾を作動させた。カメラは一秒間に一六〇枚の写真を撮ったが、蓋は一枚の写真に写っただけですぐに見えなくなった。そのカメラが捉えられる絶対最小値の秒速約六六キロで吹きとんだのである。

が生じる。長崎の上空で爆発した原子爆弾は、たった一グラムの質量（本書の半ページにも満たない重さ）からエネルギーを生んだ。幸い、質量をエネルギーにするのは簡単じゃない。長崎の原子爆弾にプルトニウムが使われたのは、この物質が不安定でエネルギーに変換されやすいからだ。それにひきかえ本ははるかに安定している。

というわけで、本書の質量をエネルギーに変えるのは難しい。だが不可能じゃない。おすすめは、本書一冊分の反物質をつくってこの本と衝突させることだ。[3] それからその場を離れる。超特急で。

逃げそこなうとどうなるか。このときに生じる膨大な核エネルギーは、アメリカが過去に実験した最大威力の水爆に匹敵する。あなたはとてつもなく高温になり、体中の物質がばらばらの原子になって、さらに原子から電子が引きはがされる。あなたはプラズマとなって大気中にばらまかれるだろう。

今の私たちにはまだ、それだけの量の反物質をつくることができない。これまでに人類が生成した反物質はほとんどが反陽子で、その量はわずか一七ナノグラム（一〇億分の一七グラム）だ。それだけでも長い年月がかかったので、本書を爆発させるという課題は未来の世代に委ねよう。ただ、もっと現実的なやり方でこの本を凶器に変えることはできる。たとえば、大急ぎでページをめくるとか。

紙で切った傷ひとつだって命取りになる。かつてそういうことが実際にあった。二〇〇八年、あるイギリスのエンジニアが腕に紙で五ミリほどの切り傷をつくり、そのまますぐにフランスへ旅立った。まもなく風邪のような症状が現われたかと思うと、倦怠感とともに体が衰弱し、意識障害に陥る。そして六日後には壊死性筋膜炎のために病院で息を引きとった。この病気はめったに起きるもんじゃないが、じつにたちの悪い細菌が原因であり、そいつはどんなに小さな傷口からでも入りこむ。

自分の体調に神経質な人にとっては、最大の悪夢というほかない。

あなたの皮膚にも、いつのまにか壊死性筋膜炎の原因菌がすみついているかもしれない。もしも今、慌ててページをめくって紙で指を切ったら、これまで無害だったその細菌が体内に侵入するおそれもある。

細菌は壊死した組織の内部で生きるため、抗生物質も白血球も近づくことができない。それがこの病気の厄介なところのひとつだ。細菌は成長すると毒素を放出し、免疫系が防御を始める前に細胞を死なせてしまう。早い段階で必要な処置を施さないと、体の痛みを通りこして深刻な敗血症に移行する。

3　反物質とは何か。ややこしい話をごく簡単にまとめるなら、物質をつくるどの原子にも「正反対の性質をもつ双子のきょうだい」があって、それを「反物質」と呼ぶ。物質中の粒子がその反粒子に触れるとどちらも消滅し、アインシュタインの方程式「$E=mc^2$」に従ってエネルギーに変換される。

敗血症とは、侵入者を食いとめようとして体が自らを死に追いやっている状態のことだ。体内の様々な箇所で血流に変化が生じ、いずれ心臓が脳にまったく血液を送れなくなる。初めのうち、脳が必要最低限の血液でどうにか動いているあいだは、めまいや意識の混濁などが現われる。血圧が下がりつづけると多臓器不全になり、なかでも深刻なのが心不全だ。ひとたび心臓が止まれば脳に酸素が届かなくなって、ものの数分で事切れる。

放置すれば壊死性筋膜炎の死亡率は一〇〇パーセント。早期に治療を受けたとしても、敗血症型なら致死率は七〇パーセントに達する。これはエボラ出血熱よりも高い。

このページをめくるときは、くれぐれもご用心を。

22 年を取ったら

この世に生を受けた瞬間に、あなたが死亡する確率は急上昇する。人生の第一日目はとりわけ危険な日で、たとえ予定通りに生まれて先天的な異常がなかったとしても一〇〇〇分の〇・〇四の確率であの世に行ってもおかしくなかった（どうやらその日をうまく切りぬけたようだね、おめでとう！）。その後、年を重ねるにつれて免疫系が強くなり、命を失う確率は日ごとに小さくなっていく。再び一〇〇〇分の〇・〇四の確率で命が危うくなるのは、あなたが九二歳のときだ。

二五歳の誕生日を迎えられたらお祝いをしたほうがいい。割増料金なしにレンタカーが借りられるからというだけじゃなく、その年以上に健康になれるときはもうこないからである。せっかく幼い頃の病気を克服して大人としての生活を始めたのに、ここから先は坂を下る一方だ。

一日が経過するたびに、あなたが世を去る確率は高まっていく。しかも、どれくらいのペースでリスクが増していくかはかなり予測がついている。一八二五年、イギリスのベンジャミン・ゴンペルツは、自ら設立にかかわった保険会社で保険数理士として働きながら、死亡率に関する独自の法則を発表した。二五歳の誕生日を過ぎたら、命を落とす確率が八年ごとに倍増するというものである。ショウジョウバエやネズミや、ほかの複雑な生物がたいていそうであるように、ヒトもまた指数関数的なペースで死んでいくことをゴンペルツは発見した。

不思議なのは、なぜそんなふうに予想がつくのか、である。それをいうなら、そもそも人間はどうして年を取るんだろう。いくつか仮説はあるものの、正しいと証明されたものはひとつもない。有力な説のひとつに「信頼性理論」がある。

この理論によると、あなたが生まれたときには体の大事な部分に設計ミスや欠陥が山ほどあった。おっと、気を悪くしないでもらいたい。あなた個人の話をしているわけじゃなく、誰にでも同じことが当てはまる。どうやら人間の体は、欠陥部品だらけの古いフランス車に似ているらしい。しかも、まともに動いている部品でさえしょっちゅう故障する。

だが幸いルノーの小型車「ドーフィン」[1]とは違い、あなたには予備の部品がいっぱいついている。なんたって細胞は小さく、それが三七兆個くらい体内に詰まっているのだ。もしかして母なる自然は、人体が不良部品だらけなことを知っていたんじゃないだろうか。ただ、ルノーと違って経費を気にしなくてもよかったので、できるだけたくさんのスペアをつくった。それでも、時とともに予備の細胞がどんどん壊れていくと、あなたは年を取り、やがてスペアの部品が尽きる。それが命の止まるときだ。[2]

もちろん、このプロセスを早めたり遅らせたりする方法はある。

二五歳になったら、人生で残された時間は（個人差はあれ）ざっと五〇万時間。ケンブリッジ大学の統計学者デーヴィッド・スピーゲルホルターとアレハンドロ・レイヴァは、これを一〇〇万で割った三〇分を「マイクロライフ」と名づけた（「マイクロ」は「一〇〇万分の一」の意）。この単位を基準にすると、様々な生活習慣がもつメリットとデメリットを比べることができる。[3]たとえば、タバコを二本吸うと一マイ

1　自動車雑誌『ロード&トラック』によれば、この車の近くに立つと錆びていく音がするという。

2　聴力の衰えについても一種の信頼性理論で説明できる。内耳には、振動を感知する細かい毛が生えていて、予備の毛もたくさん備わっている。大きすぎる音にさらされるとこの毛が損傷するが、若いうちなら問題はない。だが年齢とともにこの毛は自然に失われていく。あなたはロックを聞きすぎてすでに予備の毛を使いはたしているので、耳が聞こえなくなる。

3　マイクロライフは29章の「マイクロモート」に似ている。また、「マイクロプロバビリティ」という用語もあり、ある事象が一〇〇万分の一の確率で起きることを表わす。

クロライフを失う。つまり、予測される余命が三〇分短くなるわけだ。追加であと二本吸えば、さらに一マイクロライフが消える。じゃあ、標準体重より五キロ重かったら？　毎日一マイクロライフずつ減っていく。日に二杯以上の酒を飲んだら？　一杯につき一マイクロライフがさようなら。メキシコシティの汚れた空気を吸いながら暮らしたら、寿命は毎日半マイクロライフずつ縮んでいく。

なんともやりきれない話だが、悪いことばかりじゃない。体にいい行動をとれば、残りの寿命にマイクロライフを加えることもできる。二〇分の運動をすれば？　二マイクロライフ分寿命が延びる。果物や野菜を食べれば？　一日につきプラス四マイクロライフだ。コーヒーを二〜三杯飲めば、一マイクロライフが足される。医療は日進月歩なので、ただ生きているだけでも余命は毎日一二マイクロライフずつ増えている。最終的には予備の細胞が底をつき、マイクロライフの残高はゼロになる。パロディ新聞『ジ・オニオン』の記事ではないが、世界全体の死亡率が一〇〇パーセントを堅持しているのもむべなるかな、である。

23 ●●に閉じこめられたら

世に数ある「恐怖症」のなかで、一番多く見られるのが閉所恐怖症だ。これは、窒息することや、閉ざされた狭い空間にいることを恐れる状態をいう。世界の全人口の約五パーセントが重度の閉所恐怖症だとする試算もあるほどだ。もっとも、そのほぼすべてのケースが「いわれのない恐怖」である。体の「闘争・逃走（戦うか逃げるか）反応」が過剰に働いた結果であり、そうなるといいことより面倒なことのほうが多い。

けれど、ときには「いわれのある恐怖」を感じたほうがいい場合もある。しかも、どれほど閉所を恐れる脳でもその危険性を過小評価するような、そんな思いも寄らないところで。たとえば次のような場所から出られなくなったら、あなたはどうなるだろうか。

A. 飛行機の車輪格納庫から出られなくなったら

一九四七年以来、飛行機の車輪格納庫に隠れてただ乗りを試みたのは計一〇五人。そのほとんどが悲しい結果に終わっている。でも、真面目にチケットを買うべきかどうか決めかねているあなたのために、このアイデアの長所と短所を整理しておいてあげよう。

長所

一. 安い。

二. 睡眠導入剤を飲まなくてもよく眠れる。飛行機が巡航高度に達したら酸欠で気を失い、着陸するまでずっと意識を失っていられるから。

三. 航空会社によっては、エコノミークラスの座席より足が伸ばせる。

長所はだいたいそんなところだ。

短所

一．成功率が低い。格納庫クラスで飛ぶことを選んだのは、記録が残っている限りこれまでに一〇五人。そのうち、命を落とさなかったのは二五人しかいない。生還できた人のほとんどは年が若いか（体が小さいほうが冷えやすく、なぜそのほうが都合がいいかはまたのちほど）、あまり高い高度を飛ばない近距離のフライトだったか（それならバスでの移動をおすすめする）のどちらかだった。

二．寒さの問題。高度一万メートルともなると、外気温はマイナス五四℃近く。格納庫の扉が閉まれば多少の断熱効果はあるだろうから、たぶん寒さで死ぬことはない。ただし、指の一本や二本はなくなるものと覚悟しよう。

三．外気にさらされる問題。格納庫クラスにはシートベルトがないうえ、まだ上空何百メートルもの高さにいるうちから着陸のために格納庫の扉が開く。いきなり転げおちないようにしっかりつかまっていてほしいものだが、どっちにしても空気が薄いのであなたは気を失う。

四．酸欠の問題。命を奪う本当の犯人はこれだ。高度一万メートルでは空気が薄すぎて、呼吸で取りいれられる酸素の量が通常の四分の一ほどにまで低下する。一般に、酸素濃度が半分になっただけでも頭はぼうっとするものだ。それが四分の一ともなれば、低酸素に慣れていない限り何の前触れもなく気絶して、数分後にはお亡くなりになる。一縷（いちる）の望みに賭けたいなら、凍死「しそうになる」ことだ。

20章でもみたように、低温だと脳はあまり酸素を必要としなくなる。それを考えると、ジャケットを着こまずにTシャツ・短パン姿のほうがいいかもしれない。凍傷で手足の指を何本か失いはするだろうが、落下せずにいられさえすれば生きて格納庫を出る見込みがある。

結論――腕や脚が丸ごとなくなることはなく、せいぜい手足の指だ。ただしそれも、本当に運がよければ、の話だが。

B. ガソリンスタンドから出られなくなったら(または、ジャンクフードだけ食べつづけたら)〔訳注 アメリカのガソリンスタンドはコンビニのような売店を併設している〕

ガソリンスタンドのホットドッグは相当に長持ちする。だったら、そればっかり食べていたらどれくらい長く生きられるだろうか。

ジャンクフードには数々の難点があれど、ちょっとやそっとじゃ悪くならないのは確かだ。ポテトチップスなどはしばらくだめにならないし、トゥインキー〔訳注 パウンドケーキにクリームの入ったアメリカのスナック菓子。究極のジャンクフードといわれる〕に至っては腐ることがあるかどうかも疑わしい。だから、ガソリンスタンドから出られなくなっても飢える心配はない。ただし、ジャンクフードと炭酸飲料だけで何年も暮らしたら、おそらく糖尿病になる。それだけじゃなく、じつはもっと短期的な問題にも見舞われる。ジャンクフードにはほとんどビタミンやミネラルが含まれていないので、おやつにはよくても食事には向かないのだ。

あなたのガソリンスタンドに生の果物が置いてあったとしても、何日かすれば傷んで食べられなくなる。そして果物がなかったら、ビタミンCをほとんど摂取できない。どれかのビタミン抜きで暮らさなきゃいけなくなったとき、ないととりわけ困るのがこのビタミンCだ。

一六世紀初頭、船が大型化されて地図の精度も上がったおかげで、長期の航海が可能になった。あいにく、食品の保存技術はその進歩に追いつかなかった。新鮮な食材もビタミンCもないのだから、当然ながら船員は病気になる。壊血病だ。

マゼランは太平洋を横断する航海で、乗組員の八割を壊血病で失っている。イギリス海軍のジョージ・アンソン提督が一七四四年に世界周航を達成したときの航海では、一〇か月のあいだに水兵一三〇〇人が命を落とすほどだった。[1]

あなたがガソリンスタンドでジャンクフードだけの生活を始めて一か月もすると、壊血病の初期症状が現われてくる（歯茎からの出血、倦怠感、あざなど）。さらに一か月後には毛細血管の修復ができなくなって出血死する。

結論――ガソリンスタンドから出られなくなったら、売店にマルチビタミン剤の在庫があることをひたすら願おう。

C．エレベーターに閉じこめられたら

エレベーターに乗っていた時間の最長記録保持者は、たぶんアメリカのニコラス・ホワイトだろう。ホワイトは一九九九年の一〇月、金曜日の夜に遅くまで働いていて、タバコ休憩をとろうとエレベーターを利用した。そして、そこから出てきたのは四一時間あとだった。どうやら、作業員が乗客の有無を確認せずに運転を停止してしまったらしい。ホワイトは小さな箱の中で退屈きわまりない週末を過ごしたものの、最終的には発見・救出され、本人の言葉を借りるなら「ビールが飲みたい」以外なんの不足もなかった。

中にいる時間がその程度で済んだのは不幸中の幸いだった。というのも、エレベーターに閉じこめられることは命取りになりかねないからである。二〇一六年、中国は西安のアパートで、エレベーターに不具合が起きて一〇階と一一階のあいだで止まった。すると作業員は中に人がいるかどうかをチェックせずに電源を落としてしまった。

ところがしっかりいたのである。一か月後、ひとりの女性が遺体となって見つかった。エレベーターから出られなくなったとき、一番命にかかわる問題は脱水だ。エレベーターは十分な換気がなされているので、酸素不足の心配はない。その代わり、水が足りなくなる。人はこれといって何をしていなくても、呼吸と発汗を通じて一日四カップ分くらいの水分を失っているものだ。おまけに排尿というやつもある。尿は九五パーセントが水。だから、エレベーターに何日か閉じこめられてのどの渇きに苦しんでいたら、そいつが清涼飲料水に見えてくるかもしれない。でも、残り五パーセントを体が排出するにはわけがある。そこにはカリウムがたっぷり含まれているので、摂取しすぎれば腎不全につながるおそれがある。ナトリウムも多いので、脱水への対処法として賢明とはいいがたい。アメリカ陸軍のサバイバル・ハンドブックでも、飲まないように勧めている。

発汗、排尿、呼吸を通じて水分が失われれば失われるほど、血液はどんどん濃くな

1　その後、柑橘類が壊血病に効くとの説をイギリス軍はいち早く実践に移し、航海中は水兵にライムの果汁を飲ませた。そのおかげで、軍隊として著しく有利な立場に立ったと同時に、「ライム野郎（ライミー）」というあだ名をもらうことともなった〔訳注　鍵を握る物質がビタミンCだと特定されたのは二〇世紀に入ってから〕。

っていく。量も少なくなるので、心臓はうまく血液を送れなくなる。老廃物も濃縮され、もはや腎臓でもろ過しきれない。

結論――エレベーターに閉じこめられたら二週間程度で腎不全で命を絶たれ、箱から出られないままおしっこの上に倒れるだろう。

D. 冷凍倉庫に閉じこめられたら

最近の冷凍倉庫は内側から扉をあけられるようになっているので、閉じこめられる心配はない。でも、旧式の冷凍倉庫にTシャツ・短パン姿で入って、そのまま出られなくなったらどうなるだろうか。

肉用の冷凍倉庫内は気温がマイナス二三℃くらい。そんな中に足を踏みいれたら、体は血液を中心部に送って重要な臓器を温めようとする。末端部分は寒さにさらされたままだ。つまりは凍傷になるわけで、肉用冷凍倉庫ならこれが三〇分以内に起きる。そのまま閉じこめられつづけて仮に命が助かっても、手の指はやがて黒くなって壊死し、切断せざるを得なくなるだろう。でも大丈夫。そんな心配が必要になる頃にはとっくにあの世にいるから。

冷凍倉庫内では体温が刻々と下がっていく。六時間もすれば約三〇℃まで低下し、細胞が活動を停止する。あいにくあなたは細胞の塊だ。

結論――あなたはわずか六時間で肉の仲間入りをする。なお、米食品医薬品局の指針によれば、あなたと似たような肉（子牛肉）の鮮度が保てるのは四～六か月。それを過ぎたらあなたは廃棄処分されることになる。

E. 底なし沼にはまって抜けられなくなったら

ハリウッドが声高に叫んできた数々のリスクのなかでも、一番大げさに誇張されているのが「底なし沼に吸いこまれて苦悶の死を遂げる」じゃないだろうか。よーく考えてみてほしい。相手は、体長一二メートルのサメや、殺人コンピュータや、果ては異星から来た寄生生物まで登場させてきた業界である。「底なし沼の恐怖」がどれほどのものかは想像がつきそうなものだ。

あなたがどんな映画を観てきたかは知らないが、底なし沼に呑みこまれて死亡したと確実にいえる事例は一件もない。一件もだ。干潟で泥にはまって身動きがとれなくなり、潮が満ちてきたときに溺れたという人が何人かいたかもしれない。だが、せいぜいその程度である。

「底なし沼」とは俗称で、正式には「流砂」という。なぜ流砂が危険じゃないかというえば、その中ではあなたは浮くからだ。流砂の比重は水の約二倍あり、あなたがすでに水に浮くのはご存知の通り。流砂に踏みこんじゃったとしても、ヘソのあたりまで沈むのが関の山。厄介なことになるとしたら、頭から飛びこんだときだけだろう。それさえ避ければ大丈夫だ。

結論——底なし沼で死ぬことが考えられないわけじゃないが、それをやったらあなたが人類史上初になるかもしれない。

24 コンドルに育てられたら

アイスランドには国民食ともいうべき「ハウカットル」という珍味がある。アメリカ人シェフで食通のアンソニー・ボーディンによれば、「これまでに口に入れたどんなものよりもまずく、不快きわまる味」らしい。それはたぶんレシピのせいだろう。なんたって、ニシオンデンザメの肉を半年間腐らせてつくるのである。そうするのは味をよくするためというより、このサメの肉に毒があるからだ。生のままで食べたら、毒に当たってひどい酩酊状態のようになる。腐敗させることが唯一の安全策であり、そうやって完成したものは強烈なアンモニア臭を放つ。慣れなきゃ好きになれない味なのは間違いない。

ハウカットルは別にして、たいていの食品は腐っているより新鮮なうちに食べるほうが安全だ。動物が草原で死ぬと、病原菌を撃退する能力が失われる。いうまでもないが、当の動物にとってそんなことはまったく関係がない。生きるための戦いはすでに終わっている。だが、その動物の死肉にありつこうとする生物にとっては重大な問題だ。肉に感染した病原菌は、副産物としてたちの悪い毒素をつくりだすからである。動物が死んでから間がないほど、死肉中の毒素は少ない可能性が高い。

消費期限切れのものを好む究極の動物はヒメコンドルだ。そこで、赤ん坊のあなたが広大な草原に捨てられ、コンドルの群れに拾われたらどうなるかを考えてみよう（なつくのはさぞ難しかろうが）。

いやでも問題になるのは何を口に入れるかだ。泥んこ遊びをすると免疫系が強くなるという話はたぶん耳にしたことがあるだろうが、ヒメコンドルはその最たる例といえる。腐りかけの死肉を食べて爪を洗わない生活を何百万年と続けてきたので、驚異的な免疫系ができあがった。おかげで、コンドルにとっての特別なごちそうは、あなたが思うものとはちょっと様子が違っている。

あなたが新しい家族と一緒に食卓を囲むとき、真っ先に目につくのはウジかもしれない。

ウジはハエの卵からかえると、腐りかけの死肉をめぐってあなたと競うようになる。でもここで耳寄りな情報をひとつ。ウジはタンパク質を豊富に含むうえ、まだ生きているから腐肉より安全だ。だから、遠慮せずに手を出したほうがいい。それに、ウジも腐った肉を好むということは、やつらが残す肉は少し鮮度が高いことになる。というわけで、ウジが口をつけない腐肉を見つけたら、鼻をつまんで頂戴しよう。[1]

ここで次の問題がもちあがる。匂いだ。

人間にとっては「腐った匂い＝嫌な匂い」である。そこには理由があって、ヒトは腐敗臭を不快に感じるように自然選択を通じて進化してきた。生物が死ぬと、プトレシンとカダベリンというふたつの化学物質が生成される。これが腐敗臭の元になるわけだが、人間はそれがほんの微量であっても感知できる。そうじゃないと困る。だからこそ祖先は命をつなぐことができたのだ。とはいえ、慣れというのは恐ろしいものである。

コンドルに育てられたら、たぶんあなたは腐肉の匂いが好きになる。スカンクのあの臭いやつだって飼育員にはやみつきになるものだし、東南アジアのドリアンにしても「汚水臭」なんていわれながら、食べる人にとってはこたえられないものだ。

匂いは味に大きく影響するので、慣れるまでは相当にきついだろう。でも、いずれあなたも新しい腐食生活が大好きになる。あいにく時間はあなたを待ってくれない。

1　ウジはやたらと嫌われているが、じつは傷口をきれいにするために医療で使われることがある。腐りかけの肉にしか口をつけず、まだ生きている部分はすべて残してくれるからだ。

つまり、胃や免疫系は鼻ほど速く適応しないのである。

とっくに死んだ動物を腹に入れると、死肉を餌にしていたありとあらゆる病原菌にさらされる。仲間がその肉を食べてどうなるかを見守ってもいいが、その結果はあなたには当てはまらない。コンドルは進化を通して色々な仕組みをつくりあげてきたので、人間なら死ぬような肉でもへっちゃらなのである。たとえば、コンドルの胃酸の強さはあなたの一〇〇倍だ。ペーハー値は〇～一程度しかなく、車のバッテリー液（希硫酸）より強くて金属をも溶かす。おまけに脊椎動物のなかで最も免疫系が強い。なにしろ、コレラ菌やサルモネラ菌はもちろん、炭疽菌にだって耐性があるのだ。どれも人間には命取りである。そんなものに感染した動物をみんなでつつこうもんなら、家族は無事でもあなたはひとたまりもない。

とはいえ、ヒメコンドルに育てられたら、少なくともひとつはいい習慣が身につく。コンドルの尿はとんでもなく強い酸性なので、なんでも殺菌してくれる。

だから腐肉を心ゆくまで味わったあとは、仲間と同じようにして体をきれいにしてはどうだろうか。そう、自分に尿をかけるのだ。

25 生贄(いけにえ)として火山に投げこまれたら

火山の怒りを鎮めるために処女を生贄に捧げる……なんてのは、ほぼ完全なるハリウッドの作り話だ。そういう習慣があると非難された地域に、じつは生贄が必要になるような火山がないと判明したこともあった。仮に存在しても、誰かを火口から投げこむだけのためにわざわざ火山を登っていくなんて、相当に現実離れしている。でもそれじゃあ話が進まないので、あなたの場合は例外だとしよう。つまり、生贄として本当に投げこまれてしまった。まず疑問なのは、あなたは浮くのか沈むのか。そんな細かいことはどうでもいいって？　いやいや、これは大事なポイントだ。もちろん、どっちに転んでも命はない。生還できる見込みは皆無である。ただ、それ如何(いかん)によって、息絶えるまでのプロセスが違ってくる。

溶岩は文字通り溶けた岩石なので、組成にもよるが水の二～三倍の比重がある。もし溶岩の流れる川に出くわしたとしたら、歩いて向こう岸に渡れるほどだ（熱さに目をつむれば、の話だが）。だから、そう、あなたは浮く。少なくともしばらくのあいだは。

けれどそれが逆に問題を生む。何かといえば、高いところから液体に飛びこむ場合は、沈んでくれるほうがありがたいのである。

かなり大きな火山の火口から投げこまれたとしても、体は数センチくらいしか溶岩に沈まない。そうなると、たぶん熱さを気にしている暇はないだろう。なんたって、五階建てビルの屋上から飛びおりるようなもんなんだから。いくら砂場を目指して落ちたからといって、死なずに済むと期待するほうが無茶というもの。それと同じで、どうあっても助かる見込みはない。

じゃあ、短い距離しか落ちないような火山だったらどうなるか。それなら数分の猶予は稼げるものの、当然ながら熱さの問題は解決されていない。

溶岩の温度は七〇〇～一二〇〇℃程度。あまりにも高温なので、あなたは煮えもしなければ焦げもしない。瞬時に沸騰する。つまり、体内の水分が一瞬で蒸気に変わるわけだ。あなたはほとんど水でできているので、これはあんまり嬉しいことじゃない。体の水が残らず蒸発すると、あなたはわけのわからないドロドロになってブクブクと泡立つ。そのブクブクにかき乱されると、溶岩が思いがけない高さ（二メートル近く）にまで噴きあがることがある。そして、落ちてきてあなたを覆いつくす。だから、最終的にあなたは溶岩の表面より下に下がる。でもそれは、厳密にいうと「沈んだ」わけじゃない。埋められたのだ。

26 ただひたすらベッドで寝ていたら

あなたが中年だったら、ベッドから出るだけで一〇〇万分の一の確率で命を落とす。それだけじゃない。車を運転して仕事に行ったり、屋根の雨どいを掃除したり、側溝にはまった格子の蓋の上を歩いたりすることで、日々小さなリスクをさらに積みあげている。「だったらずっとベッドに入っていたい！」あなたがそう思うのも無理はない。

けれど、本当にそうするつもりなら考えなおしたほうがいい。ベッドから出ずにいると、むしろ死亡するリスクが大幅に高まることがわかっているからだ。

そもそも動かないこと自体が体に悪い。アメリカでは、そのせいで亡くなる人が喫煙による死者数より多いくらいだ。ケンブリッジ大学のデーヴィッド・スピーゲルホルター教授の研究によれば、映画を見ながら座ったままでいると、作品一本あたり一マイクロライフ（三〇分の余命）が失われる（マイクロライフについては22章参照のこと）。それを朝から晩まで毎日続けたら、あなたの人生はほかの人より二五パーセントも速く過ぎさるだろう。

だがベッドを離れずにいたら、それよりずっと早く命が尽きる。

ベッドで絶対安静にするのはきわめて危険な行為だ。そうしていると、無重力に似た影響を受ける。NASAが宇宙飛行士を宇宙ステーションに一年間滞在させるのは、火星への旅（行くだけで七か月かかる）でどんなことが起きるかを調べるためでもある。

あなたも同じように七か月間を寝たきりで過ごしたら、いくつか厄介な問題がもちあがる。

筋肉というのは、使わないとわずか二四時間で萎縮しはじめる。最初にやられるのはふくらはぎと大腿四頭筋だ。どちらも日常的に動かすことが最も多い筋肉である。ただし、運動させないと衰えるのは筋肉だけじゃない。骨もそうだ。[1]

1　骨には圧電性があるので、圧力が加わると電気を生じる（バーベキューの着火ライターに使われている水晶のようなもの）。圧力がかからなければ電気信号が発生せず、そうなれば骨が再生されずにもろくなる。

縦になるのをやめて横だけの生活に変わると、体液にも奇妙なことが起こりはじめる。細胞の周囲をとり巻く液体にとっては、重力によって下に引っぱられているのが普通の状態だ。ところが、あまりにも長いあいだ寝ていると、そうした細胞外の液体がしだいに顔のほうに移動してくる。[2]そうなれば視神経が冒され、平衡感覚や嗅覚にも支障をきたす。

重力や運動に慣れているのは血液も同じ。NASAの火星行きの研究では、被験者が脚に圧迫スリーブ（筒状のサポーターみたいなもの）をつけさせられた。というのも、脚から心臓へ血液を戻すのに助けがいるからである。普通なら歩いたり筋肉を曲げたりするだけで十分その役目を果たせるのに、じっと横になっていると血液がたまって固まり、血管内で血栓になるおそれがある。これは非常にまずい。

心臓から来る血液の圧力で血栓は剝がれる。血栓が太い動脈を通っている分にはいいが、あいにく心臓や脳には細い静脈や狭い弁がある。そこに詰まったら、血流がせき止められかねない。心臓で詰まれば心臓発作だし、脳で詰まれば脳卒中。どっちに転んでも命が数分で消えておかしくない。

とはいえ、心臓発作や脳卒中は命にかかわる可能性があるというだけで、嫌なら圧迫スリーブのような予防策をとればいい。一方、七か月間ベッドに寝たきりでいて適切な注意を払わなければ、確実にあの世に行く。床ずれで。

床ずれというのは、骨とベッドのあいだに血管がはさまれて血行が悪くなり、周囲の皮膚に酸素が行きわたらなくなる状態をいう。

初めのうちは鈍痛を感じるにすぎないが、ものの数時間で皮膚が腫れて強い痛みを伴うようになる。ベッドに寝ている時間が長ければ長いほど、床ずれはひどくなる。潰瘍に進行すると赤い腫れが深い傷となり、壊死した組織に囲まれるようになる。そこで深刻な脅威になってくるのが感染症だ。皮膚は人体の第一のバリアとして、外界の病原菌からあなたを守っている。なのに、つねに傷口が開いた状態では細菌がじかに血流に入りこみ、臓器に広がってしまう。これが敗血症だ。

すぐに治療をしなければ（場合によっては治療をしても）、敗血症による最期が待っている。病原菌が侵入すると、体は強烈な反応を示す。血圧は危険なレベルにまで下がり、腎臓も働かなくなって、呼吸が速まる。そのうち物を飲みこむ力がなくなり、ゴロゴロという呼吸音（「死前喘鳴」という）を発するようになる。

やがてある程度の脳細胞が死滅すると、あなたは意識を失って昏睡状態に陥る。

ただベッドで寝ているだけで、これだけの大事になるわけだ。だから、普通に暮ら

2　宇宙ステーションから戻った宇宙飛行士の顔がむくんでいるのも、これが原因である。

すだけで死ぬかもしれないリスクを減らしたいなら、もう少しましな提案をさせてほしい。

何よりもまずベッドから出て、そして竜巻から遠ざかろう。カンザス、オクラホマ、ケンタッキーの三州は、自然災害が多いからとくに危ない。ミネソタやノースダコタのような中西部北部（氷が多すぎる）や南部（ハリケーンが多すぎる）も避けたいところだ。自然災害にあいたくないならハワイがいい。ただしハワイ州には二車線道路が多いため、交通安全のランキングではぱっとしない。交通事故が一番少なく、最も安心して暮らせるのは、断トツでマサチューセッツ州である。自然災害が頻発することもなく、街は治安がいいほうだし、道路はどこよりも安全だ。

車の運転もやめたほうがいい。ハンドルを握っていると、死ぬ確率が三七〇キロごとに一〇〇万分の一ずつ増える。代わりに電車を利用しよう。自動車と同程度のリスクに達するまでに五〇〇〇キロ近く進める。

結婚もしておこうか。それで寿命が一〇年延びるから。

一番危険な仕事は養護施設で働くことで、僅差で消防が続く。じゃあ、最も安全なのは？　お金を扱う仕事だ。

まとめると、ベッドから出て結婚し、ボストンに引っ越し、公認会計士にでもなって電車通勤をするといい。

27 アメリカから中国まで穴を掘ってその中に飛びこんだら

子供の頃、中国まで穴を掘ろうとしたことが一度くらいはあったんじゃないだろうか。近所のビーチの砂が柔らかければ、実際に一メートル前後まで進んだかもしれない。

今やあなたはいい大人で、昔よりは根気強くなっている。そこで、次に海に出かけたときに改めて挑戦し、地球の裏側までおよそ一万二七〇〇キロのトンネルを掘りとおしたとしよう。そして中に飛びこむ。

さて、どうなるか。

まず、どこにスコップを突きたてるかによって結果は違ってくる。なので、出発点を間違えないことが肝心だ。よく「アメリカの裏側は中国」なんていわれるけれど、これはまったくのデタラメ。本当はアメリカ本土のどこからスタートしても、最後はインド洋で溺れる羽目になる。陸地を踏みしめたいならハワイの海岸から始めるのがいい。それなら、ボツワナの禁猟区にひょっこり顔を出すことができる。

とはいえ、ハワイはハワイで問題がある。地球はメリーゴーラウンドと同じで、外側のほうが内側よりずっと速く回転している。ハワイの砂浜に立っているとき、あなたが移動する速度は地球の核より時速一三〇〇キロ近く速い。そういう状態で穴に飛びこむと、下っていくときには体の片側が壁に当たってこすれ、上るときは反対側をすっていくことになる。

スピードが遅ければ、すり傷程度で済むだろう。でも、速い場合は自由落下しながらすりむきつづけるわけだから、皮膚や骨にやすりをかけられているようなものだ。しまいにはただのドロドロになり果てて落ちていくしかない。

そんなふうに一生を終えたくなければ、北極か南極のどちらかからスタートするのがいい。そこなら、地表が核と同じ速さで回転している。

ここまでが第一段階。でも、穴に飛びこんで地球を突きぬけようと思うと、さらなる危険が待ちうけている。

人がまっすぐ頭から飛びこむ姿勢で落ちていく場合、その終端速度は海水面高度で時速約三二〇キロ。このスピードだと、一万二七〇〇キロを落下するのに約四〇時間かかる。つまり、乗り継ぎの仕方にもよるが、飛行機で正規のルートを利用したほうがボツワナまで速く行ける。でもあなたは急いでいないので、四〇時間かかっても平気だとしよう。それでもやっぱり目的地にはたどり着かない。

それは、ものの数秒で落下の速度が低下するからだが、そこには理由がふたつある。

ひとつは、地球の中心に近づけば近づくほど、あなたを引っぱる地球の質量が小さくなること。つまり、体重が軽くなっていって落下のスピードが遅くなる。でも、もっと危険なふたつ目の問題は空気の密度だ。

エベレスト山は地球の最高峰で、標高は約八八四九メートルある。これほどの高さになると、頭上の大気の量が地上より少ないから空気があまり圧縮されない。結果的に空気がとても薄いため、相当な訓練を積まないとそこで生きるのは無理だ。

あなたの場合はそれとは反対の方向に行くわけだから、逆の影響が現れる。

頭からトンネルを落ちていくと、足の上の大気の量がどんどん増えていく。そのために前方の空気が圧縮される。やがて、一〇〇キロばかり（全行程の一パーセント未満）進んだだけで空気は水と同じ密度になるだろう。それでもしばらくは空気の中を沈んでいけるものの、ついには空気があなたと同じ密度になって釣りあいがとれる。そしたら地球の内部で未来永劫「浮かんで」いなくちゃいけない。[1]

これじゃどう考えてもトンネルの設計を変更したほうがいい。空気の密度の問題に対処するには、トンネルから空気をすべて抜いて密閉し、長い真空管のようにすることだ。そうすれば、浮く問題も、移動が遅くなる問題も、一挙に解決する。もうとば口でつかえることもなく、最大時速二万九〇〇〇キロで悲鳴を上げながら落ちていけるわけだ。

あいにく危険はまだ去っていない。地球の内部では高温の問題が立ちはだかっているからだ。それを明らかにしたのが、ロシア人が掘った世界最深の穴である。

この穴は「コラ半島超深度掘削坑」と呼ばれ、二二年越しの大型プロジェクトの成果である。この計画は、どこまで深く掘れるか試してみようというだけの理由で一九七〇年に始められた。一九八九年には深さ一万二二六二メートルにまで到達したが、極度の高温で掘削ドリルの接合部分が溶けてしまい、計画は断念された。進んだ距離は地球の直径の〇・一パーセントにも満たなかったのに、温度は一八〇℃にもなった。一般に、地表から下に一〇〇メートル進むごとに地温は約三℃上昇するといわれる。それくらいならたいしたことないように思うかもしれない。でも、改良したトンネルは真空なので、あなたはぐんぐんスピードを増していく。

トンネルの中の温度は三秒間で約二℃上がり、三〇秒もすればオーブン並みの熱さだ。もちろん快適とはいえないものの、意外にも人はそう簡単に死なない。一八世紀、イギリス人医師のチャールズ・ブラグデン卿は部屋を暖めて温度を一二七℃にまで上げ、そこに八分間留まったのちに無事に歩いて出てきた。だがブラグデンの部屋は、熱さがしだいに増していったわけじゃない。そこがあなたのトンネルとは違う。三〇秒後もあなたにはまだ息があるかもしれないが、トンネル内の温度は高くなりつづけている。さらに三〇秒が経過する頃にはすでに二〇キロあまり進み、温度は五四〇℃近くに達している。ピザ生地をもっていったらいい具合に焼けるだろうし、そうなるのはあなたも同じだ。

だが、受難はまだ終わらない。地球の裏側に着いたときには体の残骸すらなさそうなのだ。

地球の中心部は六〇〇〇℃くらいで、太陽の表面温度にほぼ等しい。これくらいの高温になると、体は一瞬で蒸発する。つまり、原子から電子がひき剝がされ、あなたはプラズマとなって穴を落ちつづけるわけだ。

だったら、あなたのトンネルにはもうひとつ設計変更を加えたほうがよさそうだ。それでもかというほど（あり得ないくらいに）トンネルを断熱するのである。それなら地球の裏側に着けるだろうか？

大丈夫。トンネルの壁にぶつからなければ（ぶつかるとスピードが落ち、目的地の

1　気圧のせいで体内の中空部分が押しつぶされるため、地球の内部にいるとあなたの密度は今より高くなる。なので、思ったより遠くまで進めるが、やはり地球の裏側まではたどり着けない。

手前までしか行けない)、落下を始めてからわずか一九分あまりで地球の中心部に達する。いったん中心部を過ぎると、あなたを引きもどそうとする地球の力がどんどん強まっていき、進む速度は低下してくる。それでも体に勢いがついているので、ちょうど運動場のブランコのように、穴に入ったときと同じ高さまでは運ばれる。この場合はつまり、地球の裏側に出られるということだ。

というわけで、核の極端な高温高圧のもとで穴を掘るのが(今の技術では)無理なことに目をつむれば、あなたはちゃんと地球の裏側に行ける。だいたい三八分と一秒後に。そこに着いたら、かならずしっかり地面をつかむこと。さもないと、あなたは振りだしに戻される羽目になる。

28 「プリングルス」の工場見学をしていて機械の中に落ちたら

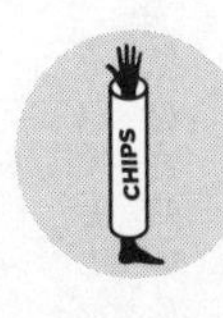

あなたもこれまでに一度くらいは工場見学をしたことがあるだろう。びっくりするほど面白いもんじゃないが、それは自分が製品の一部になるチャンスがなかったからだ。そこのところを変えてみよう。

こういうのはどうだろうか。あなたは「プリングルス・ポテトチップス」の工場見学に参加して、床より高い通路を歩いていた。そして、生のジャガイモを送りだす装置を惚れぼれと眺めていたら、その中に落ちてしまった。

プリングルスの工場で死亡事故が起きたことは、調べた限り一度もないようだ。けれどアメリカの工場全般でいえば、あなたの前にも大勢が亡くなっている。

たとえば、一九〇二〜〇七年の六年間だけでも、毎年五〇〇人あまりが工場で命を落としていた。工場監督官の国際的な団体が発行する年次報告書には、当時の事例がいくつかまとめられている。

レンガ製造工場で、作業員がベルトに絡まって皮膚をあらかた剝がされた、とか。

製材所で、むき出しの大きな丸鋸（まるのこ）の上に落ちて体をまっぷたつにされた、とか。

海軍付属の火力発電所では、大きなはずみ車の回転に巻きこまれて手足が付け根からもぎ取られ、命の絶えた胴体が飛んで一五メートル先の壁に叩きつけられた、とか。

恐ろしい事例はまだまだ続く。プリングルスのポテトチップスが誕生したのは一九六七年で、当時はすでに工場の安全基準が改善されて久しい。だから、まだポテトチップスにされちゃった人は現われていないものの、あなたがジャガイモの中に落ちればそれも変わる。たぶんこんなふうになるだろう。

あなたが生のジャガイモの仲間入りをして、最初に向かう先がオーブンだ。

ジャガイモをチップスにする工程では、ムラをなくして日持ちさせるために、まず約三一五℃の熱風を浴びせてイモを乾燥させる。人間はジャガイモより水分保持力が高いので、完全に脱水することはない[1]。だからって安心できるわけじゃなく、細胞は極度の高温を好むようにはできていない。

人間の細胞は体温が四五℃くらいまでならちゃんと働くことができる。それでも、実際には四二℃程度で命にかかわるケースが多い。なぜって細胞には、病気を寄せつけないために自爆するボタンがついているからだ。

ウイルスが体内に侵入すると、細胞を乗っとって小さなウイルス製造工場に変えてしまう。やがてその細胞は壊れてウイルスを放出し、それが別の細胞に感染する。体温が高いのは体がウイルスと戦っているしるしだと細胞は判断し、ウイルスの増殖を遅らせるべく自分が乗っとられる前に自滅する。映画『ミッション：インポッシブル』の冒頭のメッセージじゃないが、自動的に消滅するわけだ。

話をプリングルスの工場に戻そう。オーブンの熱を浴びて体温が上昇したのを感知すると、あなたの細胞は自滅を始める。体温が四二℃を超えたらずいぶん多くの脳細胞が失われるため、もう生命維持に欠かせない機能（心拍など）を調節できない。

そのあとあなたは徹底的に潰されて、細かい粉末になる。次に、粉々になったあなたにトウモロコシ粉と小麦粉が混ぜいれられ、ホットケーキミックスみたいなものができあがる。そこに水が加えられてあなたは素敵なドロドロになり、回転するローラ

1　人間をもっと上手に脱水したいなら、フリーズドライ製法がおすすめだ。カチカチに凍らせてから、低湿の環境中で乾燥させるのである。一九九一年にアルプスの氷河で発見された男性のミイラ「アイスマン」は、いわば天然のフリーズドライだ。およそ五三〇〇年前に死んですぐ氷河に覆われたため、その体は完全に保存されていた。おかげで、死因（誰かの矢が肩に刺さって動脈を断裂）はもちろん、最後の食事がなんだったのか（肉、穀物、植物の根、果実など）まで明らかになり、血液の分析もなされた（乳糖不耐症が判明）。

ーへと運ばれて四トンの圧力でぺちゃんこになる。

そのローラーにうっかり手をはさもうもんなら、潰れてバスケットボールくらいの大きさに広がるだろう。でも幸いあなたはすでに死んでいて、ただのドロドロにすぎないから、ローラーはあなたを淡々と平たくしていく。

続いて、薄いシートと化したあなたの体から、チップスサイズの小さな楕円がいくつも切りぬかれていく。残った部分は台から剝がされ、再利用されて振りだしに戻る。

それからあなたは、あのおなじみの凹んだ形に成形される。

ちなみに、あなたの新しい形（双曲放物面と呼ばれる）は行きあたりばったりにできたものじゃない。当時としては珍しく、スーパーコンピュータを商業利用して生みだしたものだ。あの形は完璧なまでに非流線形なので、製造ラインのコンベアベルトを外れて飛んで行ってしまうことがないし、重ねれば缶の中にぴったり収まる。

さて、おなじみのプリングルス形になったら、フライヤーに沈められてきっかり一秒油で揚げられる。この時点であなたはすでに、熱と粉末化と圧力と型抜きによってとことん命を絶たれている。

カラリと揚がったあなたの亡骸には軽く味がつけられる。アメリカなら「ソルト・アンド・ビネガー味」や「ランチドレッシング味」〔訳注　バターミルクやマヨネーズをベースにしたとろみのあるドレッシングの味〕が定番だ。もっとありきたりじゃないのがお好みなら、ベルギーのプリングルス工場で装置に落ちるといい。「わさび味」や「小エビのカクテル味」になれるかもしれない。

味つけの済んだあなたの一部は、最後に重ねられて例の缶に入れられる。ここで面白い話をひとつ。人間プリングルスの缶の中に埋葬されるのはあなたが第一号だとしても、プリングルス・チップスになるのはあなたが最初じゃない。その称号は、この容器を発明したフレデリック・バウアーのものだ。自分のつくった缶に遺灰を納めてほしいというのがバウアーの遺言だったのである。

とはいえ、複数の缶に収まるのは間違いなくあなたが初めてだ。仮にあなたが重さ約八〇キロのジャガイモに相当するとしよう。オーブンで水気を飛ばされてあなたは体重の六割を失うが、プリングルス・チップスに含まれるジャガイモは全体の四二パーセントにすぎないので、なくした重さの大部分はトウモロコシ粉や小麦粉のかたちでとり戻すことになる。ざっと計算して、あなたはおおよそ四万枚くらいのチップスに加工されるんじゃないかと思う。そうすると、あの缶にして四〇〇本ほどだ。アメリカでは一日平均三億枚のプリングルス・チップス（三〇〇万缶程度）が消費されている。だから、購入者のほとんどはランチドレッシング味のあなたに出会うことはないけれど、一部の気の毒な御仁は缶いっぱいのあなたに当たる羽目になる。それがどんな味かはある程度わかっている。一九二〇年代にアメリカ人ジャーナリストのウィリアム・シーブルックが、不気味な実験を行なってくれたおかげだ。シーブルックは西アフリカを旅した際、亡くなったばかりの人間の肉を病院から入手した。それを調理したあとで、こう記している。「色といい、外観といい、匂いといい、味といい……子牛の肉にそっくりだ」

四二パーセントの子牛肉にトウモロコシ粉と小麦粉が加わって、ランチドレッシングをまとったらどんな味になるかは……勇気ある読者の行動を待とう。

29 一〇〇万発の弾が入る拳銃でロシアンルーレットをしたら

質問――一〇〇万発の弾が入る拳銃でロシアンルーレットをしたら、私の人生のリスクは多少なりとも有意な増加をしますか？

答え――運命の引き金をたった一度引くだけであとは何もしないのなら、それはあなたにとって人生で最も安全な日となるでしょう。[1]

私たちの日常には、ただ普通に暮らしているだけでついてくる様々なリスクがある。町なかを数ブロック歩く、車を運転して何キロか走る、エアコンの室外機の下を通る、

1　これは、手を滑らせて銃の下敷きになるリスクは度外視している。弾が一〇〇万発入るリボルバーともなれば、重さは一〇〇トンを超えるはずだ。弾が頭に当たるかどうかなど、気にするどころじゃないだろう。

等々。こうしたことに伴うリスクを合計すると、巨大な銃で一度だけロシアンルーレットをするリスクの一・五倍になる。

スタンフォード大学で決定分析を研究するロナルド・A・ハワード教授は、日常的な活動がもつ小さなリスクを比較したいと思い、「マイクロモート」という単位を編みだした。一マイクロモートは、人がなんらかの活動を通して一〇〇万分の一の確率で命を失うことを表わす。[2]

マイクロモートを使えば、色々な移動手段に伴うリスクが比べられる。たとえば、車で四〇〇キロ走ると一マイクロモート。オートバイやカヌーなら、たった一〇キロ進むだけで同じ一マイクロモートだ。自家用ジェットで飛ぶのはそれよりほんの少しましで、一三キロで一マイクロモート。徒歩（二七キロ）と自転車（三二キロ）はさらに危険が少なく、群を抜いて安全なのは旅客機（一六〇〇キロ）と鉄道（九七〇〇キロ）だ。

あなたが危険を追いもとめるタイプなら、一〇〇万発入りの銃でロシアンルーレットをするなんて生ぬるくてやってられないに違いない。海で泳げば？　三・五マイクロモート。スキューバダイビングは？　潜るたびに五マイクロモートだ。[3]マラソンを走るのは意外に高くて、レースに出るたび七マイクロモート。急流いかだ下りは一日につき八・六。スカイダイビングともなるとそれが九にまで上がる。並みの冒険好きなら、スリルを味わうのに一〇マイクロモートくらいのリスクはへっちゃらだろう。

ところが、本物の命知らずはそんなもんじゃ済まない。

たとえば、ベースジャンプ（高い建造物や断崖などからパラシュートで降下するスポーツ）は一回飛びおりるたびに四三〇マイクロモート。エベレスト山のベースキャンプ（標高五〇〇〇メートル超）より高いところに登れば一万二〇〇〇マイクロモートだ（つまり八三分の一の確率で命を落とす）。世界第二の高峰K２に至っては、これまで一〇人中約三人の割合で登山者が帰らぬ人となっている。

ベースジャンプともヒマラヤ登山とも無縁で、年齢が八〇歳未満だったら、人生で最も危険なのはこの世に生を受けた日だ。その日のリスクは四八〇マイクロモートで、

2　マイクロモート（micromort）は、「一〇〇万分の一の確率」を意味する「マイクロプロバビリティ（microprobability）」と、「死亡率」を表わす「モータリティ（mortality）」を合体させた造語である。
3　走ったときに死亡する原因として最も多いのが心臓発作である。犠牲になるのは、そうなってもおかしくないような不具合をもともと心臓にもっていた人がほとんどだ。もうひとつ問題になるのが低ナトリウム血症である。これは通常ならばめったに起きるものではない。体が汗をかくと、水分だけじゃなく塩分も失われる。なのに水分だけ摂って塩分を補わないと、血中のナトリウム濃度が低下する。すると、浸透圧の関係で脳細胞内に水分がどっと入って、脳がふくれる。これはよろしくない。脳が頭蓋骨に押しつけられて吐き気や短期記憶障害につながるほか、放置すれば命にかかわる。

これはバイクでクロスカントリーをするのと変わらない。

マイクロモートは金額にも換算できる。そのリスクを軽減するのに、いくらだったら払う気があるかを考えるのだ。平均的なアメリカ人の場合、一マイクロモートのリスクを避けるためにプラスアルファの安全対策をするなら(オプションでエアバッグをつけるとか)、五〇ドルを注ぎこんでもいいと思っている。ただし、政府はあなたほど気前がよくない。たとえば交通安全のための改善策を実施すべきかどうか判断するとき、運輸省はその策によって何マイクロモート下がるかを見極め、それをコストで割る。その結果、ドライバーひとりあたり一マイクロモート低減させるのがビッグマック一個より高くつくなら、政府は何もしてくれないだろう。

このマイクロモート・ゲームの陰にはもちろん敗者がいる。ということで、話を一〇〇万分の一のロシアンルーレットに戻そう。この銃を使ってロシアンルーレットをやったら、平均して一〇〇万人にひとりの割合で運の尽きた人が現われる。

でも、ちょっと待った! 銃で頭を撃ったからって死ぬとは限らない。そうなる可能性が高い、というだけだ。頭に銃撃を受けた被害者のうち、五パーセントは一命を取りとめている。なぜかって? 重複だ。脳は片方の半球からもう片方の半球に仕事を移すことができるし、きわめて重要な機能は両方の半球で行なっている。脳は右脳と左脳に分かれているので、損傷するのがどちらか一方だけのほうが死なずに済む見込みが高い。つまり、弾が額から入って後頭部から出てくるほうが、耳から耳へ一直線よりも都合がいいことになる（弾どころか鉄の棒が通りぬけても大丈夫だった話は7章参照）。

もうひとつ鍵を握るのが銃弾の速度。高速のライフルの場合、弾が頭蓋骨にぶつかったあとであらぬ方に跳ねかえる場合がある。ちょうど、水に向かって投げた石が水面を弾んでいくようなものだ。ということは、額を狙っても弾が頭蓋骨に当たって上に逸れ、脳はほとんど無傷で済む可能性もある。

ピストルの場合はそうはいかず、のろまな石のようにまっすぐに進んでいく。狙いが外れていなかったとしたら、まずいことになるだろう。

のろまとはいえ、ピストルの弾が飛ぶ速度は体組織が壊れるより速い。つまり、進みながら脳を押しのけていくのだ。弾がまだ頭の中にあるうちにX線写真を撮ることができたら、弾の通った道の幅が弾自体より広いのを確認できるはずだ。

もっとも、そのX線写真だけでは実際に何が起きているかまではわからない。弾が通過した場所の組織や神経が破壊されるのはもちろんのこと、その両側が広い範囲にわたって損傷するのである。

銃弾が脳の中を進んでいくと、通りすぎたあとでトンネルのような空洞が潰れて脳組織が再び合体する。人が水に飛びこんだあとに、水同士がぶつかり合うようなものだ。この脳の空洞化は短時間で起こるうえ、脳組織が再合体するときには大きな力が伴う。そのため衝撃波が発生し、脳神経は広範囲に破壊される。

　頭に弾を受けてもあなたが一命を取りとめた場合、どのように回復するかは脳のどこが損傷したかによって違ってくる。ただ、いかんせん脳は仕事をあちこち移すのが得意なので、正確にどういうプロセスをたどるかは予測不能だ。

　頭を撃たれたほぼすべてのケースで、被害者はまず何かが燃えているような感じを覚える。また、理由は解明されていないものの、脳が損傷すると焦げたトーストの匂いを感じるらしい。

　もっとも、あなたの場合は十中八九そんな心配をする必要がない。至近距離から頭を撃ったら、何が起きたかを脳が処理するまもなくあなたはちゃんと昇天する。

　万が一そうならなかったら？　そしたらあなたは、負ける確率が一〇〇万分の一しかないゲームに敗れるというとてつもない不運に見舞われたあとで、そこから生還するという奇跡的な幸運に恵まれるわけだ。

30　木星まで旅行したら

二〇一三年一〇月九日、アメリカ東部標準時の三時二一分、ＮＡＳＡの木星探査機「ジュノー」は地球の重力を利用して時速約一四万五〇〇〇キロに加速し、データ収集ミッションのために猛スピードで木星を目指した。この探査機は無人だったが、じつはあなたが飛びのっていたことにしてみよう。そして二〇一六年七月にはついに木星の周回軌道に乗り、あなたは探査機から飛びおりた。さて、どうなるだろうか。

木星は巨大ガス惑星だから、パラシュートで降りるのは雲を通りぬけるくらい楽チンだと思うかもしれない。どっこい、そうは問屋が卸さないのだ。木星の質量は巨大なので、内部では強烈な熱とすさまじい圧力が待っている。その圧力たるや、地球最深の海も恥じいるほどだ。この惑星に入りこむのがあまりにも困難なため、中心核が何でできているのかさえつかめていない。これまで何度か探査機が木星に送られているものの、プローブ（大気圏突入観測機）は雲のてっぺんから数キロと落ちないうちにこの惑星にむさぼり食われてきた。一九九五年には、木星の周回軌道に入った「ガリレオ」探査機がプローブを投下し、そのプローブは燃えつきる前にどうにか約五八分間データを送ることができた。だがあなたの場合、そううまくはいかない。

厄介な出来事は、あなたがジャンプするよりずっと前から始まっている。

木星の磁場は太陽からの放射線を電池のように蓄えている。これは地球も同じだ。ところが木星は地球より大きく、磁場もはるかに強い。だから、木星から三二万キロあまり離れていても五シーベルト（Sv）の放射線を浴びる。何日か被曝しつづけていたら命を落とすレベルだ。そして木星に近づくにつれて線量は三六Sv（致死量は一〇Sv）にも達する。たちまち吐き気を催し、いずれは死をまぬかれない。

でもあなたはこれを予期して、放射線遮蔽効果のある物質（鉛とパラフィン蠟があればいいだろう）で宇宙服を覆ってきたとしよう。おかげでさっさとあの世に旅立ってしまわずに大気圏ジャンプの時を迎えられた。

足が探査機を離れたとたん、木星の巨大な重力が秒速五〇キロ近くまであなたを加速する。[1] これに比べたら五〇口径の弾丸なんて取るに足らないスピードでしかなく、秒速一キロにも満たない。木星の大気圏に入ると、あなたは四分足らずのうちに減速して時速七キロ程度になる。減速が最高潮に達したとき、あなたにかかるのは二三〇

G。これは、一六階建てのビルから飛びおりて顔から落ちた衝撃に相当する。しかも、秒速五〇キロ近くで落下すると、速すぎて目の前の大気がすぐにどいてくれない。そのため、大気は圧縮されて過熱する。宇宙服は八五〇〇℃以上にまで熱せられて蒸発し、あなたはプラズマの塊と化して太陽より明るく輝く。

木星の表面から眺めたら（仮に木星に表面があって、そこで誰かが上空を仰いでいたらの話だが）、火の玉が尾を引いていくように見えるだろう。ガリレオのプローブは最新の熱シールドで守られていたから耐えることができたわけだが、それも大気圏に突入したあとで剝がれて吹きとんだ。だから、漂っていたその熱シールドをあなたはたまたまつかむことができて、大気圏突入の衝撃を生きのびたとしよう。

あなたは木星の表面にたどり着くが、表面に思えるものはじつは雲のてっぺんにすぎない。木星はガスでできているので、あなたは落ちつづける。地球なら、空気抵抗を受けにくい姿勢で一気圧の大気中を飛びおりた場合、人間の体の終端速度は時速三〇〇キロあまり。だが、木星の重力は地球よりはるかに大きいので、一気圧のもとで

1　この加速が宇宙船の中で起きたら命はない。座席の背もたれが臓器をつき破って前に飛びだしてくるからだ。でも、木星で宇宙服を着ている分には（しばらくのあいだは）大丈夫。重力は体中の何もかもを同じスピードで加速するので、こぼれた内臓が山をつくることはない。

は時速一五〇〇キロ以上になる。これでもまだ速いに違いないが、秒速五〇キロ（時速一八万キロ）近くだったときと比べればずいぶんと減速している。だから、あなたの宇宙服はもう溶けることはない。外気温は約マイナス九三℃の寒さで、大気もほとんどが水素とヘリウム。でも、宇宙服には酸素ボンベとヒーターがついているから大丈夫。

落下しつづけること一〇分、あなたには三気圧の圧力がかかるまでになる。これは水深二〇メートル程度に相当する。幸いあなたの体はほとんど水でできており、水というのは圧縮されない。プロのフリーダイバーなどは、三分足らずで水深二一〇メートルくらいまで潜れるほどだ（約二二気圧）。安全きわまりないとはいえないものの、生きのびるのは不可能じゃない。

地球と同じく、中心核に近づくにつれて温度は上昇していき、この頃にはマイナス七七℃くらいになっている。雲は氷の粒でできていて（これも地球の上層大気圏と似ている）、風が秒速二〇〇メートルあまりで吹いている。でも、ここまで無事に来られたんだから、宇宙服を着ていればたぶん大丈夫だろう。

落下を始めてから二五分、気温は二一℃とじつに過ごしやすくなった。ただし、気圧は上昇して一〇気圧に達している。これは水深一一〇メートル相当だ。これだけ大きい圧力がかかると酸素は有毒なものとなる。中毒死しないためには、深海ダイバーが使うような酸素＋ヘリウムの混合ガス入りボンベに替えなくちゃいけない。

落下開始から一時間もすると、相当にまずい状況になる。外は真っ暗で、気温は二〇〇℃を超えている。ガリレオのプローブに使われていたはんだだって溶けたくらいだから、人間ごときはものの数分で一巻の終わりだ。ここまできたら、宇宙服の断熱効果がものすごく優れているという望みにすがるしかない。まあ、実際にそうだったとしよう。

あなたが落ちるにつれて大気は密度を増し、水くらいになったと思ったら岩石ほどになる。木星ではけっして「表面」に着地することがない。ただ大気がひたすら濃くなりつづけ、圧力も上昇していく。

やがて、自分自身の密度が惑星の密度と釣りあう地点に到達し、あなたは沈むのをやめてその場に漂う。気圧はもはや地球の大気の一〇〇〇倍に達している。超優秀な宇宙服をもってしてもさすがにこれには耐えきれない。あなたの体の空洞部分が潰れ、それと一緒に宇宙服もぺしゃんこになる。胸、耳、顔、消化管が陥没して、あなたは血と肉の塊になり果てる。でもまだ終わらない。次にくるのが熱だ。

これほどの深部では温度は四七〇〇℃を超え、太陽の表面とも大きくは違わない。肉体が蒸発するばかりか、体をつくる原子も破壊される。あなたは黒々とした極熱の液体水素の中で、かすかに漂うプラズマとして永遠に葬られるだろう。

仮にもっと深くまで進めたとすると、圧力は最終的に一〇〇万気圧を超える。すると面白いことが起きる。あなたの体をつくる原子の六二パーセントは水素であり、それほどの圧力下では水素が液体金属に変わると科学者は考えているのだ。ということは、G力にも熱にも圧力にもどうにかしてうち勝って、大気の毒をもかいくぐったとすると、あなたは『ターミネーター2』の悪い奴みたいになるかもしれない。とりあえず、見た目はなかなかイケてるんじゃないだろうか。

31 世界一有毒な物質を口に入れたら

二〇〇六年一一月一日、アレクサンドル・リトビネンコは、KGB（ソ連国家保安委員会）の元職員二名とロンドンで会って紅茶を飲んだ。リトビネンコはかつてロシア連邦保安庁の職員だったが、当時の体制に公然と異を唱えたのちにイギリスに亡命した。その後はイギリスの諜報機関に協力したり、記事を書いてウラジーミル・プーチン大統領によるテロ工作や暗殺を糾弾したりしていた。

元KGBと会ってまもなく、リトビネンコの具合が悪くなる。初めのうち、症状は食中毒に似ていた。嘔吐、胃の不調、倦怠感などである。ところが、食中毒と違って状態は日に日に悪化し、医師にも原因がわからない。やがて毛が抜けおち、血球数が急激に減少して、ついにはベッドから出られなくなる。そして、三週間後に死亡した。

検死の結果、リトビネンコは一〇マイクログラム（まつ毛半本分の重さ）のポロニウム210で中毒死したことが判明した。この物質は、ウランが鉛へと崩壊していく過程で生じる放射性同位体で、毒性がめっぽう強い。

ポロニウム210の半減期は短く、わずか一三八日ほどだ。その短いあいだに膨大な量のエネルギーを放出する。一グラムあれば勝手に五〇〇℃超まで熱くなり、一四〇ワットのエネルギーを生みだすほどだ。だから宇宙探査機の電源や熱源として利用されているし、スキーブーツ・ウォーマーにももってこいに違いない。

ポロニウム210は反応性が高いうえに、放出するアルファ線が恐ろしいまでの破壊力をもつ。もっとも、アルファ線はごく短い距離を進んだだけでエネルギーを使いはたしてしまうから、衣服や、紙二枚や、皮膚でだって遮ることができる。この物質を水入りの小瓶にでも垂らして持ちあるいても、暗殺者自身にはまったく影響が及ばない。

ところが、注射するなどして皮膚のバリアを突破しさえすれば、ポロニウム210はとんでもない毒性を発揮する。そうなったら放射線による中毒死はまぬかれない。だからって、暗殺の道具に使うのは考え物だ。というのも、優秀な警察犬も顔負けの方法でその痕跡をたどることができるからである。たぶんKGBの元職員たちは、呆れるほど微量でも検知できる装置があることを知らなかったんだろう。結局はふたりが乗った飛行機をはじめ、滞在したホテル三か所、さらにはリトビネンコとの会合場所やティーカップからも、この物質による放射能汚染が確認された（ロシア政府は容疑者の引きわたしを拒否している）。

汚染された紅茶を飲んだ瞬間、リトビネンコの運命は決した。皮膚を通りぬけたポロニウム210のアルファ線は体を容赦なく攻撃しはじめる。手始めは胃や腸の内壁であり、激しい吐き気や痛み、そして内出血を引きおこす。こうした症状の現われるタイミングが早ければ早いほど、大量に毒を盛られたことになる。被曝してから四時間以内に発症したとしたら、相当にまずい状況だ。

血液をつくる骨髄はとりわけ放射線の影響を受けやすい。造血細胞が壊れれば白血球数と赤血球数が低下し、外部の病原体に感染しやすくなる。

骨髄の破壊がさらに進み、つくられる赤血球の数が減っていくと、血が薄くなりすぎてもはや重要な臓器に酸素を運べない。何より重要な臓器が心臓だ。心臓が十分な酸素を受けとれないと、機能不全を起こして脳に向かう血流が遮断されてしまう。

ポロニウム210の致死量はわずか一マイクログラム（一グラムの一〇〇万分の一）。そのため、世界一致死性の高い放射性物質といわれている。ただし、「放射性」という言葉を外してしまえばもっと恐ろしい物質は存在する。

それがボツリヌス菌だ。その毒素はポロニウム210の五〇〇倍の毒性をもつ。

二〇一三年、カリフォルニア州公衆衛生局は、ボツリヌス中毒にかかった赤ん坊の便のサンプルを受けとった。乳児はまだ腸が十分に発達していないため、大人だったら防げたはずのボツリヌス中毒になる場合がある。

　検査自体は珍しいものでもなんでもないし、抗ボツリヌス血清を投与すれば生存率は高い。ところがこのときには、いつもと違うものが見つかった。検出されたボツリヌス菌の毒素が、それまでとは違う未知の型だったのである。この新しいタイプはボツリヌス毒素「H型」と名づけられた。有効な血清も知られておらず、その毒性は計りしれない。研究者たちはこの発見に警戒を募らせ、製造や兵器化を防ぐために毒素のDNA配列を今に至るまで公表していない。

　ボツリヌスH型毒素は二ナノグラムで致死性をもつ。つまり一〇億分の二グラムだ。肉眼ではまったく見えない赤血球だって、一個の重さは一〇ナノグラムある。最凶の化学兵器であるVXガスも、人を殺そうと思ったら一〇ミリグラム（一〇〇分の一グラム）は必要だ。[1]毒性はH型毒素の一〇〇万分の一に満たない。

　H型毒素の毒性の強さをたとえるなら、「それを点眼器でプールに一滴落としたあとで、プールの水をグラスに一杯飲んだら絶命するレベル」といえばわかりやすいだろうか。同じ一滴がうまいこと拡散すれば、一〇〇万人の命を奪う力をもつ。毒素がカップ一杯あったら、ヨーロッパが全滅しても不思議はない。

　H型毒素はウイルスと違い、体内に入りこんでから増殖することはない。これもまた、特筆すべき特徴のひとつだ。毒素は最初から最後まで少量のままで、それでいて体の機能を徐々に停止させていくのである。

筋肉が収縮するためには、神経伝達物質のアセチルコリンが受容体に結合する必要がある。だがボツリヌス毒素はこの受容体にこっそり入りこみ、永久に居座って、あなたの体をまんまと麻痺させてしまう。

じつは、この特徴を生かして医学の分野では様々な用途が生みだされている。たとえば、別系統のA型毒素は美容外科で用いられている。ごくごく少量を注射すること

1　ここで「VXガス入門講座」を駆け足で。このガスはもともと殺虫剤として開発されたが、毒性が強すぎることに誰かが気づいた。そこに目をつけたのが軍隊であり、それを化学兵器につくり変えた。

作用の仕組みはこうだ。運動神経の末端からは、筋肉を収縮させたり弛緩させたりする物質が分泌されている。VXガスは「弛緩」のための化学物質の働きを阻害するため、筋肉は縮んだままゆるまなくなる。そうすれば筋肉はたちまち疲労し、働くのをやめる。これはまずい。とりわけ横隔膜にとってはものすごくまずい。VXガスにさらされると横隔膜はぎゅっと固まって疲労し、呼吸ができなくなって息絶える。ここまでに要する時間はわずか数分だ。

映画『ザ・ロック』にもVXガスが登場するが、実際とは違う点がふたつ。VXガスは皮膚にはなんの影響も及ぼさないし、血清は心臓じゃなくて太ももに注射する。

によって、顔の筋肉を弛緩させてしわを消すのだ。これは「ボトックス」という商品名で販売されている。

けれど、H型毒素は商業利用のされようがない。

さっきの汚染プールから水を飲んだら、一二〜三六時間で目がかすみはじめ、まぶたが重くなってろれつが回らなくなる。

毒素が最初に攻撃するのは、脳神経によってコントロールされる筋肉。つまり、目や口、のどなどだ。そしてそこから広がっていく。食べたものを下へと送る筋肉が次々に麻痺していき、そのあとは便秘がやって来る。

ボツリヌス中毒のとくに恐ろしいところは、知能や精神にはなんの影響も及ぼさない点だ。麻痺の波が体を下っていくあいだずっと、あなたは何が起きているかを一〇〇パーセント明晰に理解している。なのにあなた自身も医者も、それをなすすべもなく見ているしかない。[2]

麻痺は頭部から始まり、まず顔が凍りついて、肩と腕がそれに続く。

横隔膜が動かなくなると、相当に困ったことになる。胸の筋肉が動くからこそ、肺が広がって空気で満たされる。それが麻痺してしまったら、息を吸うという単純な行為がどんどん重労働になっていく。胸の上に体重二〇〇キロ超の男が腰掛けているようなものだ。

ついには脳に十分な空気が送られなくなる。脳細胞が機能するためには、絶えず酸素が供給されないといけない。なのに酸欠状態になったら、わずか一五秒で働けなくなる。それから数分で（実際にどれくらいかかるかは脳細胞がどういう順番で死んでいくかによって違ってくる）、あなたは完全なる脳死を迎える。この「・」よりもはるかに小さな微量の毒素のせいで。あなたの死体はお肌がすべすべで、きっとしわひとつないはずだ。

2　もっとありふれた型の（血清が存在する）ボツリヌス中毒の場合、頭のてっぺんから爪先まで数か月間麻痺したままでも頭脳は明晰な状態を保つ。血清を投与すれば病気の進行は止まるものの、すでに遮断されてしまった神経は元には戻らない。新しいのが再生するまでには、数か月から数年かかる。

32 「核の冬」に見舞われたら

冷戦の時代、世界を破滅させせられるだけの核兵器を米ソともがもっているというのは周知の話だった。あまり知られていなかったのは、それがどれだけ易々とできてしまうかである。

今は地球温暖化を分析するための最新式の気候モデルがあるおかげで、わりあい小規模な衝突で核兵器が使われただけでも惨事を招くことがわかっている。シミュレーションによれば、核武装した中小国家が全面戦争に突入した場合、数メガトン級の核爆弾約一〇〇発が飛びかう。そして、核爆弾一〇〇発が同時期に炸裂したら、たとえ地球の裏側にいても深刻な問題がいくつも待ちうけている。まず最初は、放射線だ。

核爆弾が破裂すると一帯に放射線を浴びせ、無害な原子を危険なものに変える。このとき生成される放射性元素のなかで、とくにたちの悪いのがストロンチウム90だ。

軽いので、それほど大規模な核爆発でなくても地球全体を覆い、食物連鎖に深く入りこむ。化学的性質がカルシウムに似ているために、ひとたび体内に摂取されたら吸収されて骨に取りこまれる。一九五〇年代には大気圏内核実験が何度も実施されたが、それよりあとに生まれた子供たちの歯には自然界の五〇倍ものストロンチウム90が含まれている。幸い、それでも人体に危険が及ぶ一線には達していない。でもあいにく核戦争は実験じゃなく、そんな一線なんて一足飛びに超えてしまう。

危険な量のストロンチウム90が骨の中に居座ると、崩壊しながら放射線を出しつづけ、細胞のDNAを破壊して骨がんや白血病を引きおこす。つまり、最初の核爆弾の応酬を生きのびたとしても、いずれ骨や血液のがんに侵される未来が待っているわけだ。もっとも、そんな未来にすらたどり着けないおそれがある。その前に、もっと深刻な第二の問題が立ちはだかるからだ。煙や灰や煤（すす）である。

数メガトン級の核爆弾一〇〇発が空中で炸裂したらどうなるか。上層大気にじかに炭素をまき散らすのはもちろんのこと、野山や都市に大規模な火災が発生して大量の煙が放出される。おまけに、爆風で微細な塵が何トンも巻きあげられ、それが日光に熱せられて上昇していって成層圏にたまる。

キャンプで火をおこす程度なら、煙は雲の下に留まるから雨が降れば洗いながされる。ところが、いわゆる「死の灰」の場合は煙も灰も雲の上まで運ばれ、雨ではきれいにならない。雲の上に何年もいつづけて、日光を遮る。

環境への影響を控えめに見積もったシミュレーションであっても、結果的に日光が十分に届かなくなって地球の気温が数度下がるとしている。たとえ数度でも急激に低下したら、世界の食料供給は壊滅的な打撃をこうむるだろう。とくに深刻なのが、寒さに弱い米だ。米の生産量が大幅に落ちこめば、世界で二〇億の命が失われると予測されている。[1]

一〇〇発規模の核戦争だと、爆発そのものや飢餓やがんによって世界人口の三分の一近くが死亡するかもしれない。でも、その程度だったら人類は進みつづけることができる。だがもっと規模の大きい核戦争が起きて、水爆数千発が飛びかうことにでもなれば、おそらくその先はない。じつは、そうなりそうな危機が米ソのあいだで勃発したことがあった。

一九八三年一一月七日、アメリカはNATO(北大西洋条約機構)軍を率いて「エイブル・アーチャー83」と呼ばれる大規模な軍事演習を実施し、対ソ連を想定したミサイル発射訓練を行なった。ほとんどの人にとって不幸だったことに、ソ連はこの演習を「本物の」先制攻撃の隠れ蓑だと思いこんでしまう。そして、ヘリでミサイルをサイロ(地下のミサイル格納庫兼発射台)に運び、空軍を動員した。これだけの動きを目の当たりにしたら、米軍は警戒を強めて同じように反応してもおかしくはない。

ところが、幸いにもアメリカ空軍のレナード・ペルーツ中将がそれを単なる軍事演習と勘違いし、なんの対応もとらなかった。それでソ連は安心し、警戒態勢を解いたのである。

近年、この危機を分析した当時の資料が機密解除されて公開された。それによるとペルーツ中将の判断は、「ちゃんと情報を得ていなかったおかげでたまたま吉と出た」ものだったと評されている。もしかしたら、人類史上最もありがたい勘違いかもしれない。

このときもしも警戒が強まり、誤解が誤解を呼んで全面核戦争へと突入していたら、数メガトン級の核爆弾が数千発も飛びかって目標地点上空で爆発していただろう。たとえあなたが大きな町に住んでおらず（米ソともに人口一〇万人以上の都市すべてを標的にしていた）、爆発自体で命を落とすことがなかったとしても、長生きは期待できない。

こうした事態が起きて二週間ほどのうちに、約一億八〇〇〇万トンもの煙や煤や塵が巻きあげられ、地球を黒いペンキのように覆ってそこに居座る。

1　核戦争防止国際医師会議の分析によると、地球全体での生産量は米が二一パーセント減、トウモロコシが一〇パーセント減、大豆が七パーセント減となる。

日光の光量は現在の数パーセント程度にまで下がるため、真昼間でも夜明け前のように暗い。北米では真夏の最高気温が氷点下になる。

せめてもの救いは、枯れ木が山ほどあるので、燃やして暖をとるのに事欠かない点だろうか。その代わり空腹には苦しむ。作物は壊滅状態となり、そうならないものも害虫の被害をまぬかれない。

ゴキブリのたぐいは放射線への耐性が相当に強いのに対し、その天敵のほうはそうもいかない。数を減らしてくれる鳥がいないので、虫は作物を食いあらして我が世の春を謳歌する。せっかく寒さを生きのびた作物も、害虫によってとどめを刺されるわけだ。

明るい話（といえなくもないもの）がないわけじゃない。穀物をタンパク質に変換することにかけては、ウシよりゴキブリのほうが効率がいい。この新しい悲惨な世界にあっても、ゴキブリの餌になりそうな穀物はまだたっぷり残っている。それにやつらはビタミンCが豊富で、タンパク質と脂肪もたっぷり含んでいるから、おやつとしては栄養満点だ。だから、あなたが食べ物の好き嫌いをしなければ、予想より多少は長くもちこたえられるかもしれない。

ただし、生きのこるにはゴキブリをたくさん食べないといけない。一日にざっと一四四匹くらい。……げっ。

33 休暇を取って金星に行ったら

木星の場合と違って、金星では死に方のバリエーションに乏しい。だからって物見遊山（ゆさん）で済まないのは確かだ。

宇宙空間から金星の大気圏に降りていくのはわりと快適だ。重力の大きさが地球に近いので、落ちるスピードが速すぎることがない。地球の大気圏に突入するのと大きくは違わず、だったらそれにまつわる問題はすでに解決されている。ただあなたをNASAのスペースシャトルに乗せて、金星の上空約四万七〇〇〇メートルに連れてくればいい（シャトルを使わないとどうなるかは16章参照のこと）。ところが、その四万七〇〇〇メートルから降下していくと、面倒なことが起こりはじめる。

まずは雨雲に目を光らせないといけない。何を隠そう、金星の雨は水じゃなくて硫酸なのだ。車のバッテリー液が空から降ってくるようなものなので、シャトルのむき出しの金属部分が腐食する（シャトルに乗っていなければあなたの皮膚に穴があく）。シャトルの窓はダイヤモンドでつくっておくのがよさそうだ。ずいぶんと突飛なオプションではあるけれど、ガラスよりは硫酸に耐えるし熱にも強い。現にＮＡＳＡの金星着陸船は、カメラのレンズに二〇五カラットの工業用ダイヤモンドを使っていた。[1]

雲が危険だというのは、雷が起きるせいもある。金星にも雷が存在することが確かめられたのはつい最近のことだ。ただ、それが雲と雲のあいだに発生するだけなのか、惑星表面に落ちることもあるのかはまだ明らかになっていない。どっちにしてもシャトルの中にいれば電気は船体の表面を流れるので、あなたが感電することはない。地球でも、車の中にいれば安全なのと同じだ。シャトルの外に出ていて雷に打たれたらどうなるかは14章を参照してほしい。いっておくが、楽しいもんじゃない。

雲の下まで降りてこられたら、パラシュートを開いて減速しよう。あいにく、金星は温室効果ガスの問題に悩まされている。地球とは比べ物にならないような、はるかに大きな規模で。なんたって金星の大気は九六パーセントあまりが二酸化炭素だ。ということは、異常なまでに熱を閉じこめている。金星の表面温度は日中で約四六〇℃。あんまり上手に熱をためこんでいるので、真夜中でも鉛が溶けるほどだ。究極の全球温暖化である。

標準的なパラシュートはポリエステル製かナイロン製なので、一三〇℃あまりで溶けてしまう。あなたのパラシュートにしても、開いて数秒で消えてなくなるだろう。そうならないためにもダクロン（訳注　ポリエチレンテレフタレートのアメリカでの呼称。日本では「テトロン」）製をおすすめする。NASAの金星着陸船が使っていたのもこれで、硫酸に強いうえに二六〇℃までは熱に屈しない。まあ、最終的にはドロドロになるわけだが、しばらくのあいだは頑張ってくれる。それに、現実問題としては「しばらく」もってくれさえすれば十分なのかもしれない。というのも、金星の大気はとんでもなく濃いので（密度が水の七パーセント）、不時着してもしっかり減速されて命を失わずに済むのだ。

旧ソ連が金星に送りこんだ着陸船は実際にうまく表面に降りたち、装置が溶けるまで五〇数分にわたってデータを送信することができた。

ということで、多少の幸運と工夫があれば（超強力なエアコンが必要なのはいわずもがなとして）、あなたは金星に着陸してあたりを眺めることができる。そしてたぶん、がっかりするだろう。厚さ三万メートル近いスモッグみたいな雲に絶えず閉ざさ

1　あなたの場合も研究目的だと証明できれば、犯罪者から押収したダイヤモンドを政府が使わせてくれるかもしれない。

れているからだ。おかげで、真昼間でも夕暮れ時のように薄暗い。これに比べたら、ロサンゼルスなんてタヒチ並みの楽園に思える。

重力の大きさは地球の九〇パーセントほどなので、あなたはすぐに順応する。ただし、空気の密度は地球の五〇倍もあるから、走っているつもりでもスローモーションだ。夢のなかで、斧を手にした殺人鬼から逃げるときみたいに。

濃い大気はあなたの体にも影響を及ぼす。金星の表面に立ったとすると、受ける圧力はだいたい水深九〇〇メートル相当。体のほとんどは水でできているから圧縮されないものの、いくつかしっかり空洞部分もあり、大きな圧力がかかるとそこが陥没する。あなたの顔は巨大バットで殴られたかのようにぐしゃりと潰れ、耳は内側にめり込み、目玉は頭蓋の中に落ちこむ。咽喉と喉頭が瞬時にふさがり、胃と腸がぎゅっと縮むので、ウエストは数センチ細くなるだろう。

空洞の多い臓器のうちで一番大きいのが肺であり、もちろんこれも潰れる。もっとも、仮にどうにかして肺をふくらませておけたとしても、金星ではどうせ役に立たない。くどいようだが、金星の大気の九六パーセントあまりが二酸化炭素なのだ。ひと息吸っただけで、あなたの体は酸素を求めて泣きさけぶだろう。意識を失うまでの一五秒は、苦しい苦しい時間となる。

最後の問題は、いうまでもないが熱だ。四六〇℃といったら木材が自然発火するような温度であり、水着姿ならものの数秒で事切れる。ただし、酸素がないから燃焼も起きないので、あなたが燃えてしまうことはないだろう。だからって喜んではいられない。この熱さでは、細胞が働くのをやめてタンパク質も変性する。「ウェルダン」から「くすぶる骨」へ移行するのに時間はかからず、数日のうちにあなたは「灰」になる。

このように、金星ではあの世への道筋がいくつかあるものの（熱、圧力、酸欠）、ひとつだけ絶対にできない逝き方がある。高所からの落下死だ。

大気がすごく濃いために、あなたの終端速度は時速一八キロ足らず。地球で地上一・五メートルの高さから飛びおりるのと同じくらいだ。要するに、金星ではどれだけ高い崖からジャンプしたとしても（そして落ちている最中にきっと別の方法でお亡くなりになるに違いないけれど）、落下の衝撃で息が止まることはけっしてない。

まとめると、灼熱地獄のなかで死にたくない人には金星でのバケーションをおすすめしないが、高所恐怖症の方には夢のような場所かもしれない。

34 無数の蚊に刺されつづけたら

史上最も危険な生物をたったひとつだけ選べといわれたら、迷わずハマダラカのメスを挙げる。石器時代以来、人類の半数がこいつに命を奪われてきたとの試算もあるほどだ。もちろん、蚊そのものが悪いわけじゃなく、本当の犯人はマラリア。寄生性のマラリア原虫によって引きおこされる病気で、この原虫がハマダラカに乗ってヒッチハイクしている。

毎年、二億四七〇〇万人あまりがマラリアに感染し、一〇〇万人以上が死亡する（二〇〇六年のデータによる）。おまけに、蚊に刺されること自体が不快だ（蚊の唾液には血液の凝固を妨げる作用があって、人体はこの唾液にアレルギー反応を起こす）。そう思うのは人間だけじゃないようで、アラスカのカリブーなどは蚊を避けるためにわざわざ移動ルートを変えることもある。

もちろんカリブーだけじゃない。初期の探検家たちにとって、中南米やアフリカの広大なジャングルが難攻不落だったのは蚊がいたからだ。アマゾンの熱帯雨林が保存されているのは、蚊のおかげといっても過言じゃないだろう。

パナマ運河を建設するときも大変だった。この試みはまず、一八八一年にフランスの主導で始められたもののうまくはいかなかった。ジャングルにひしめく毒グモや毒ヘビに足を引っぱられたのはもちろんだが、それをはるかにしのぐ脅威が蚊だったのである。やはり蚊が媒介する黄熱病とマラリアによって、フランスの作業員はバタバタと命を落とした。計画の最盛期には、毎月二〇〇人近くの作業員がこうした熱帯病に斃(たお)れたほどである。工期は遅れ、費用はかさみ、結局は九年足らずで建設計画は中止を余儀なくされた。死者数は合計二万二〇〇〇人。死因のほとんどは蚊が媒介する病気だった。そのおよそ一〇年後にアメリカが参入し、カナダの研究者によって病気と蚊とのつながりが明らかにされて、ようやく一九一四年に運河は完成する。それでも、さらに五六〇〇人の命が失われた。

私たちはマラリアのない国に住んでいるので、何度刺されようが平気で蚊をただ叩きつぶしている。でも、ふとこんな疑問が頭をよぎることはないだろうか。病原体の力を借りずに、蚊だけで人を殺すことはできるんだろうか、って。大量の蚊に一斉に血を吸われたら、体が干上がる？　「千回刺死」なんていうものはあり得るんだろうか。

蚊がひと刺しで奪う血液はごくごく少量なので、普通のキャンプ旅行に出かける分には何も心配はいらない。その程度の血は失っても大丈夫だ。でも、アラスカ北部のノーススロープでキャンプをして、ふと気づいたら裸で蚊の大群にたかられていたなんてことになったら、相当にまずい。具体的にどんな目にあうかは、じつは詳細にわかっている。確かめた人間がいるのだ。研究者グループが北極圏でシャツを脱いで屋外に飛びだし、おびただしい数の蚊の雲に一分間とり巻かれたあと、急いで屋内に戻って被害を調べたのである。相当の勇気と、少なくとも何杯かのウォッカが必要だったに違いない。

結果、ひとりにつき約九〇〇〇回刺されていた。

蚊が一回で吸いとる血液の量はわずか五マイクロリットル（一〇〇万分の五リットル）。あなたの血管内には五リットルほどが流れているから、これは蚊にとって一〇〇万回分の食事に等しい。なので、キャンプで何回か刺されたくらいならまだまだ余裕はあるものの、九〇〇〇回ともなると話が違ってくる。

もしもあなたがこの勇敢な研究者を見習って蚊の大群に囲まれ、しかもそこからずっと動かなかったらどうなるだろうか。

一五分もすると、あなたは血液の一五パーセントを失う。これは、献血で採られるのと同じくらいの量だ。かゆくてたまらず、そこはかとなく不安にもなるだろうが、献血会場みたいにオレンジジュースとクッキーがもらえれば十分に回復する。

ところが、三〇分あまりたつと全血液の三〇パーセントが吸いとられている。血圧は下がりはじめ、心臓はそれを埋めあわせるためにピッチを上げざるを得ない。それと同時に手足が冷たくなってくる。これは、手や足を犠牲にしてでも血液を内臓にふり向けようとするためだ。また、酸素不足を補うために呼吸が速くなる。

刺されつづけて四〇分、すでに二リットルの血液が奪われ、あなたは危機的な一線に差しかかる。心拍数は一分間に一〇〇回を超え、不安感と混乱が高まる。残った血液は脳、腎臓、心臓に回されるので、手足には酸素が行かずに壊死しはじめる。

四五分が経過し、刺される回数が四〇万回を突破する頃には、すでに二リットル以上の血液を失っている。ここまでくると心臓は必要最低限の血圧すら維持できず、ショック状態に陥った末に拍動を停止する。血流が途絶えれば肺からの酸素がやって来ないため、脳細胞も死滅していく。ものの数秒であなたは意識を失い、とり返しのつかない損傷を脳に負う。どの脳細胞がどういう順番でやられるかにもよるが、心不全から完全なる脳死へと移行するのは三〜七分程度だろう。

そしてあなたは、蚊に斃れた半数の人類への仲間入りを果たすのだ。なんとも珍妙な方法で。

35 本物の人間大砲となって撃ちだされたら

サーカスの「人間大砲」を見たことがあるだろうか。その名の通り、人間が大砲(底にバネのついた長い筒)から撃ちだされるというものだ。これまでの最長飛行記録は約六〇メートル。だとすると、時速一一二キロくらいで飛びだした計算になる。適切な場所にネットが張られていれば、生還するのは不可能じゃない。といって、けっしてリスクが小さいわけじゃなく、生きて帰れなかった人も少なからずいる。それでも、本物の大砲から発射されることを思えば格段に安全だ。

昨今の本物の大砲の場合、砲弾は時速数千キロもの猛スピードで筒を離れる。ここではあなたが砲弾の気持ちを味わいたいと思い、最新の大砲の中に潜りこんだとしよう。撃ちだしてくれる友だちも見つけた。これには数々の危険が伴うが、そのうちふたつだけについて話してみたい。

ひとつは加速の問題である。ご友人が引き金を引いたとたん、あなたのスピードは時速〇キロから時速六〇〇〇キロ超にまで達する。しかもわずか一〇〇分の一秒ほどのあいだに。これは一万七〇〇〇Gに相当し、これまでに宇宙飛行士が経験した最大のG力のざっと二〇〇〇倍だ。体重が一瞬にして一一〇〇トンあまりになると思えばいい。あなたの頭蓋骨も骨も、ほかの柔らかい組織（内臓、ぜい肉、筋肉など）と一緒に瞬時に潰れる。それに逆らえるのは体内の水分だけだ。ということは、まだ筒の中にいるうちからあなたは人間の形をなくし、円筒形の赤い水と化して、底に骨や肉のくずがわずかにたまるだけになる。筒から出ようもんなら、事態は悪化の一途をたどるのみ。

時速六〇〇〇キロ超で進むと、空気とのあいだにすさまじい摩擦が発生する。となれば、当然ながら熱が生まれるだろう（戦闘機の表面なんて三一五℃くらいになるのだ）。これがふたつ目の問題だ。今やあなたの亡骸（なきがら）の大部分は水でできているわけだから、この状況は非常にまずい。

結局あなたは、薄赤い水の平たい円盤となって空を飛んでいく。相当に荒唐無稽な夢でも見ない限り、こんな経験はできるもんじゃない。最後には超高温のミストとなり、音速の五倍で大気中にぶちまけられる。

あーあ。

36 ●●がエンパイアステートビルの屋上から降ってきたら

エンパイアステートビルのてっぺんから一セント銅貨が落ちてきたらどうなるだろうか。あいにく頭に当たっても、頭蓋骨を突きぬけて穴をあけることはない。海水面高度での一セント銅貨の終端速度はわずか時速四〇キロほど。なにしろ軽いうえ、コインの例に漏れずひらひらと揺れる。そのために表面積が大きくなって、凶器としてはまったく使い物にならない。たとえこれが最大の流通硬貨であるアイゼンハワー・ダラー〔訳注　一九七一〜七八年に製造され、表面にアイゼンハワー元大統領の肖像が刻まれた一ドル硬貨。直径約三・八センチ〕だとしても、「いてっ」となるのが関の山だろう。

この話を聞くと、みんなきまってがっかりする。頭の穴から煙が上がっている光景があんまり素敵すぎて、どうしても捨てがたいのだ。

ご安心あれ、銅貨より大きなダメージを与えられるものはいくつかある。ただ、それが降ってきたときにキャッチすべきか逃げるべきかは、一セント銅貨のときと同じで直感が正しいとは限らない。でも、それでは都会にお住まいの皆さんが困ってしまうだろうから、エンパイアステートビル（略してESB）の下の正しい歩き方をぼくらが教えてあげよう。

落ちてくるものに応じて、次のような行動をとってみてほしい。

A. 野球のボールが降ってきたら

野球ボールの重さは約一四二グラム。これがESBの屋上から落ちてくると、最高速度は時速一五三キロほどだ。メジャーリーグ投手の速球並みである。[1] これが頭に当たったら、たぶんあなたは脳震盪（のうしんとう）を起こす。でも、当たらなければチャンス到来だ。新記録を打ちたてられるかもしれない。

一九三九年、サンフランシスコ・シールズ（訳注　一九〇三〜五七年まであったメジャ

1　メジャーリーグの計測法に当てはめるなら、これは本当は時速一六六キロに相当する。というのも、スピードガンはピッチャーの手を離れるときの初速を計っているからだ。なので、バッターのところに来る頃には一五三キロの球も一四〇キロに落ちている。

ーリーグ・トリプルAの野球チーム」のキャッチャー、ジョー・スプリンツが、上空二四〇メートルの飛行船から野球ボールを落とさせてそれを捕球した。このときボールがグローブから跳ねかえって顔に当たり、あまりの衝撃にあごの骨と数本の歯が折れたという。

二〇一三年には、野球ボール・コレクターのザック・ハンプルがこの記録を塗りかえ、上空三二〇メートルからの球をキャッチしている（ハンプルはキャッチャーマスクをつけていた）。エンパイアステートビルの屋上は高さ三八一メートルだから、あなたが成功すれば新記録を樹立できる。さもなきゃ、脳震盪で伸びるか。

結論——ESBのてっぺんから野球ボールが降ってきたら、グローブをつかもう。あと、できればプロテクターも。ただし、時速一五三キロより遅い球に当たって昇天した人もいるので、くれぐれもご注意を。

B．ブドウの実が降ってきたら

ブドウの実ひと粒の終端速度は時速一〇〇キロあまり。仮に頭に命中しても、この程度ではなんのダメージも加えられない。でもあなたの口でキャッチすれば、世界新記録を更新できる可能性がある。現時点での最高記録は、一九八八年にアメリカ人のポール・タヴィラが打ちたてた二四〇メートルだ。

結論──ESBのてっぺんからブドウの実が降ってきたら、まずそれが間違いなくブドウの実であって、もっと硬い何かでないことを確かめよう。そのうえで、大きく口を開く！

C. サッカーボールが降ってきたら

サッカーボールはどちらかというと大きくて軽い。ということは、落下速度が遅くなる条件が揃っている。誰かがESBの屋上から落としたとしても、最高速度はせいぜい時速八七キロ程度だ。しかしサッカー選手ならごく普通にそれより速いスピードで蹴っており、最高記録は時速なんと二一二キロ。なのに選手はわざわざ自分の頭をその前に出して、多少の脳細胞喪失と頭痛くらいで済むっていうんだからすごいもんだ。

ちなみに、サッカーボールはどれくらい高くまで弾むと思う？　反発係数（所定の物質［たとえばあなたの頭］にぶつかったあとで物体が保持しているエネルギーの量のこと）が〇・八五なので、あなたの頭に当たったら四階の高さまで跳ねかえるはずだ。

結論——よく弾むが、命取りにはならない（もっとうんと跳ねるものが欲しければ、スーパーボールを落としてみるといい。終端速度は時速一一三キロ程度だからやはり危険とはいえないけれど、反発係数が〇・九〇なので二五メートル近い高さまで戻る）。

D．ボールペンが降ってきたら

これはどういうペンかによる。クリップがついていないと落ちながら揺れるので、危害を加えられるほどの速さにはならない。それにひきかえ、クリップのついたスチール製のペンなら、一セント銅貨であなたが期待したように頭に穴をあけることができる。なぜだろうか。

それはクリップが、矢についた矢羽根のような働きをして、ペン先を下に向けつづけてくれるからだ。おかげで時速約三〇六キロまで加速し、一本の棒となってあなたの頭を打つ。棒状の物体は勢いを増しても空気抵抗が大きくならないので、ぶつかった相手に穴をあけるにはうってつけだ（対戦車砲の砲弾が棒状なのはそのためである）。

結論――「矢羽根プラス棒状」の相乗効果で、クリップつきのボールペンはあなたの頭蓋骨に穴をあけて脳に刺さる。え、だからなんだ、って？　高層ビルのてっぺんから落ちてきたら、ペンは剣並みに強し、ってこと。

E. シロナガスクジラが降ってきたら

あらゆる生き物のなかで、自由落下速度の世界最高記録を保持しているのがシロナガスクジラだ。少なくとも、上層大気まで移動させる手段さえ見つかればきっとそうなる。その体重は一九〇トンにも及ぶので、これまでに生きたどんな動物よりも終端速度が大きい。六四〇〇メートルより高いところに上がってそこから落ちさえすれば、海水面高度では音速の壁を超えるだろう。ESBの屋上からなら、最高速度は時速三〇六キロくらいだ。[2]

だから、あなたがクジラをキャッチしようとしたら大変なことになる。間違いなくぺっちゃんこ。いや、実際はもっとひどい。

シロナガスクジラは地面にぶつかったら「飛びちる」。要は、内臓が外側に膨張するのを皮膚が閉じこめておけなくなるのだ。それはクジラの下敷きになったあなたも同じで、皮膚が中身を抱えきれなくなる。つまり、衝突（と飛びちり）のあとにはクジラとあなたのはらわたが混じりあう。

結論――ぐっちゃぐちゃ。

F. この本が降ってきたら

誰かがＥＳＢの屋上からこの本を捨てたとしたら（本章のシナリオのなかで一番ありそうにないのはわかっているが）、速度は時速四〇キロがせいぜいで、下まで落ちてくるのに三〇秒以上かかる。

結論――腕っぷしの強い図書館員を怒らせたりすると、時速四〇キロより速いスピードで本が降ってくるかもしれない。びっくりはするだろうが、命をなくすことはないのでご安心を。

2　そう、ペンと同じ。エンパイアステートビルの高さからでは、何を落としても地球の重力のもとではこの速度が限界なのだ。

37 誰かの手を「本当の意味で」握ったら

健康を考えるならやめたほうがいいことのひとつが、誰かと握手をすることだ。手から運ばれる病気が多いからと、アメリカ疾病予防管理センターはいわゆる「グータッチ」を強く推奨している。でも、握手の真の危険性はそんなところにあるんじゃない。

なぜって、あなたが誰かの手に「本当の意味で」触れたことなどただの一度もないからだ。これは、握手が強いタイプの人でも同じである。そこには原子の反発力がかかわっている。今度誰かの手を握るときに「本当に」その人の手にさわってしまったら、恐ろしい事態が訪れるはずだ。

あなたの手のひら（でもなんでも）をつくっている原子の内部では、負の電荷をもつ電子が原子核のまわりを回っている。この電子はほかの電子と反発しあっている。

冷蔵庫のマグネットの正極同士を近づけたら、くっつかないのと同じだ。冷蔵庫のマグネットと違うのは、電子は別の電子と触れるのがとことん嫌いだってこと。

その反発力があんまり大きいので、じつはあなたは生まれてこのかた何かを本当にさわったことがない。今、これを読んでいるあなたのお尻は椅子についてはおらず、上で浮いているだけ。指先をハンマーで叩いたとしても、爪とハンマーが触れあうことはない。

二個の原子を無理やりくっつけようとしたら、ハンマーやお尻じゃできないくらいの圧力がいる。

自然界でこの種の圧力が見つかるのは恒星の中心部だ。私たちの太陽も、核融合というプロセスで水素の原子核を合体させている。

地球上で同じくらいの圧力を生みだすには、爆発の力を借りるしかない。

つまり、友だちの手を本当の意味で握り、あなたの原子とご友人の原子を間違いなく触れあわせたいなら、おふたりの手を核爆弾に加工して炸裂させればいい（注意——この作業は危険を伴います。かならず大人が見ているところで行なってください）。

あなたにとってもご友人にとっても、おふたりがたまたまいた町にとっても不運なことに、人間の皮膚に含まれる分子のなかで一番多いのが水素だ。その水素の原子核同士が融合したら、とてつもないエネルギーが放たれる。

手と手を「本当の意味で」握らせるのは、中型の水素爆弾を作動させるのと同じなのだ。[1]

半径三〇キロ以内にいる人は全員、皮下組織にまで及ぶ深い放射線熱傷を受けて神経が損傷する。半径一〇キロ以内では家屋も吹きとび、半径五キロ以内になると猛烈な爆風でさらに高層ビルも倒壊する。半径三キロ以内なら、それに加えてひとり残らず巨大な火の玉に呑みこまれる。

あなたとご友人にとってはすべてがあっというまに終わり、最初に目にする光景が最後のものになるだろう。なぜって、爆発の閃光で目がくらむからだ。いや、比喩じゃなくて文字通りに。露出オーバーの写真のように強烈な光が網膜を焼きつくし、眼球と視神経を蒸発させてしまうのである。

閃光とともに、ありとあらゆる電磁波も浴びることになる。それでどんな影響を受けるかをなんとなく理解するために、こんな状況を思いうかべてほしい。あなたは電子レンジの中に足を踏みいれる。すると電磁波に刺激され、体中の水分子が振動して高温になる。やがてあなたの体の液体は蒸気と化して膨張する。圧力がかかっている状態で水が膨張すれば、爆発が起きる。あなたは電子レンジの内壁をべっとりと覆うことになるだろう。もっとも、電子レンジで体験できるのは低出力のマイクロ波だけだが、水爆ともなればありとあらゆる電磁波のオンパレードだ。可視光、紫外線、X線、ガンマ線、なんでもござれである。

蒸気と化したあなたの体に光子が打ちつけ、あなたの分子の結合を壊して個々の原子へと変える。

それだけで済むと思ったら大間違い。

あなたの原子はもう結合されていないものの、まだビリヤードのボールみたいに一か所に集まっている。そこへやって来るのが、キューボールならぬ光子。原子となったあなたに光子がぶつかり、あなたは高校の体育館くらいの面積に散らばる。

それから粒子が現われる。具体的には遅い中性子と電子であり、とくに心配しなくちゃいけないのが中性子のほうだ。中性子は、ばらばらになったあなたの原子を追いかけてその原子核を変化させ、あなたの最後の名残りを放射性に変える。

1　ちょっと専門的なことを。ここでぼくらは少しズルをしている。核爆弾の内部に生じる圧力と熱は、水素原子を無理やり合体させられるほど長くは続かない。だから、実際に水爆をつくる際には水素そのものではなく、水素の同位体（重水素と三重水素）が用いられる。三重水素は原子炉を使わないと生成できないので、それをあなたとご友人の手でやろうとしたら、おふたりを原子炉に入れて処理するか、恒星の中心部で握手してもらうしかない。どっちにしても、実現しようと思うと諸々の段取りが面倒なので、勝手ながらその手順を省かせてもらった。

一番遅れて訪れるのが超音速の衝撃波だ。かつてあなただったものは高速で吹きとばされ、熱いプラズマと原子がめちゃくちゃに混じりあって雲のようにふくれあがる。そして最後にあなたは、振りそそぐ原子として地球に帰ってくる。その数、一〇、〇〇〇、〇〇〇、〇〇〇、〇〇〇、〇〇〇、〇〇〇、〇〇〇、〇〇〇個。だいたい、だけどね。

38 虫眼鏡の下のアリになったら

虫眼鏡でアリが焼けることは子供だって知っている。幸い、コンビニエンスストアでは人間を焦がすことができるほど巨大な虫眼鏡は売っていない。でも、それなりの人数とたくさんの鏡があれば、日焼けじゃ済まないような強力な熱を浴びせることができる。

SF作家アーサー・C・クラークの短篇「軽い日射病」(『10の世界の物語』所収、中桐雅夫他訳、ハヤカワ文庫SF)では、ある国のサッカー好きな大統領が、不公平な主審に報復しようと残忍な計画を実行する。まず五万人の兵士を試合に無料招待し、表面のキラキラした幅六〇センチほどのパンフレットを渡す。兵士たちは「新手のブーイング法」くらいにしか思っていないが、大統領にはもっと恐ろしい意図があった。この主審がとりわけひどい判定をしたとき、兵士たちはいっせいにパンフレットをもちあげ、この主審に向けて日光を反射させた。五万人分の太陽の光で、主審は生きたまま焼かれた。

この話はフィクションとはいえ、アイデア自体は驚くほど理にかなっている。うまくやれば、五万人よりずっと少ない人数で同じことができるはずだ。

日光を武器にすることを最初に考えたのはクラークじゃない。アルキメデスだ。伝えられるところによると、アルキメデスは一二九人の兵士に真鍮（しんちゅう）の盾をもたせ、太陽光を反射させて敵の船を燃やしたという。当時の技術レベルを思うと実際には無理だったに違いないが、理論的には可能なことがマサチューセッツ工科大学の実験で明らかになっている。

日光の集中砲火を浴びて命を落とした人間はまだいないものの、鳥ならそのせいで毎年何千羽も死んでいる。たとえば、アメリカ南西部のモハーヴェ砂漠にある太陽光発電ファームでは、ガレージドア大の反射鏡を使って太陽光を集め、約五四〇℃の鳥い、焼き光線に変えている。

太陽光を武器にするうえでの最大の課題は、どうやって照準を合わせるかだ（太陽光ファームの場合は、可動式反射鏡とコンピュータ・アルゴリズムを使ってこの問題を解決している）。

ひとつの対象に当たる光線の数が一〇を超えると、個々の光の照準を定めるのは相当に難しくなる。どれが自分の光なのかがわからなくなるからだ。

アメリカ空軍はこの問題をすでに解決している。兵士に支給されるサバイバルキットに「シグナルミラー」と呼ばれる非常用の鏡が入っているのだ。撃墜されたパイロットにとってはなんとも心強いツールである。

小さな鏡で日光を反射させると閃光が遠くまで届くので、遭難信号として利用できる。信号を送るコツは、いかにうまく光の狙いを定めるかだ。空軍が使うシグナルミラーには、中央に小さな覗き窓のようなものがついていて、そこから見ると、反射した光がどこに当たっているかが赤い点となって浮かびあがるようになっている。スナイパーが使う光学照準器（スコープ）のようなものだ。

この手の鏡は驚くほど効果が高い。一九八七年、グランドキャニオンのコロラド川で父子がラフティングをしていて事故にあった。そのときシグナルミラーを使い、一万メートルあまり上空にいた旅客機にSOSを送ることに成功している。さっきのサッカー場なら、例のパンフレットにシグナルミラーを取りつければ照準の問題は解決だ。そして一斉に光を浴びせたら、当たった場所の温度はみるみる上がるだろう。たとえば三〇センチ四方の洗面所の鏡の場合、太陽から一〇〇ワットのエネルギーを受け、受けた分とまったく同じだけの熱を跳ねかえす。だから、鏡一枚なら一枚分の熱を、鏡二枚なら二枚分の熱を反射するという具合になる。

さて、あなたがアーサー・C・クラークの小説の主審で、いくつかひどい判定を行なったとしよう。どんなことが待ちうけているだろうか。小説にあるような「キラキラしたパンフレット」程度だったら、そう心配しなくてもいい。光が一点には集まらないから、体が少し温かくなるのがせいぜいだし、フィールドから逃げだす時間もたっぷりある。

一方、それがよく晴れた日で、一〇〇〇人のファンが洗面所の鏡の先にシグナルミラーをつけていたとしたら、相当に厄介なことになると覚悟したほうがいい。なんたって合計一〇万ワットの熱を胸に受けることになるのだ。それだけあれば、体重九〇キロの人でも数分で沸騰するだろう。もっとも、沸騰が始まるずっと前に命は尽きる。燃えさかる火の温度は約四三〇℃。手を近づけたらすぐに引っこめたくなる熱さだ。ところが、一〇〇〇枚の鏡から強烈な光を浴びるとなれば温度はそれより高く、五三〇℃前後になる。

人間の細胞というのは、ごく限られた温度のもとでないと働けない。三七℃なら調子がよくても、一℃少々上がっただけで具合が悪くなる。体温が五〜六℃も上昇すれば生きてはいられない。

幸い人間は、灼熱の中でも体温を低く保てるように数々の工夫を編みだしてきた。汗をかいたり、血管を広げたり、皮膚の断熱効果を利用したりすることで、一三〇℃

近い部屋の中でも数分なら生きていられる。

けれど極端な状況下では何もかもが速く進行しすぎて、そういった防御手段ではまったく追いつかない。

完璧に狙いを定めた一〇〇〇枚の鏡で光を当てられたら、二歩も進めないうちに事切れる。体は濡れた丸太のように水をたっぷり含んでいるからすぐには燃えださないものの、息を吸ったとたんにのどの粘膜が焼け、二度と使えるようにはならない。一〜二分もすると呼吸困難になるのだが、ご心配なく。そこまでもつ見込みはないから。代わりにあなたを待っているのは体温の急上昇だ。目安となる五〜六℃を超えたら脳細胞が機能を停止し、体中のタンパク質が変性する（物理学者はよく「煮える」という言い方をする）。

タンパク質がエネルギーを運んでくれなければ体のどこも働けないから、あなたはただの肉の塊と化す。

それでも体は煮えつづけ、完全に水分が抜けたところでいきなり発火する。炎はあなたの体をゆっくりと舐めていき、骨と歯以外のものを焼きつくす。

火葬場なら、八〇〇℃以上の炎を浴びせても完全な灰にするには二時間半くらいかかる。だからサッカー場のファンが異様な執念を燃やさない限り、少なくともあなたの歯や焦げた骨のひとつふたつはフィールド上に残るだろう。

そしたら何が起きるだろうか。クラークの小説と同じだとすれば、あなたの最期を見届けたあとで場内にはつかのま沈黙が流れ、「当然ながら言いなりに笛を吹いてくれる代わりの主審」が登場し、地元チームは見事な逆転勝利を収めるに違いない。

39 粒子加速器に手を突っこんだら

一九七八年七月、アナトーリ・ブゴルスキーという名のロシア（当時はソ連）の科学者が、ロシア最大の粒子加速器「U－70」の点検をしていた。粒子加速器とは、原子より小さい粒子を光速近くにまで加速する装置のことである。ブゴルスキーが装置の中に頭を入れていたとき、陽子ビームが後頭部に当たって鼻から抜けた。痛みはまったく感じなかったそうだが、「千の太陽より明るい」閃光を見たという。医師らは慌ててこの男を病院に担ぎこんだものの、放射線障害で命はないものと覚悟していた。ところがしっかり一命を取りとめる。それどころか、顔の左半分に麻痺が残って頭に小さな穴があき、ときおりてんかん発作に見舞われたほかは健康状態に問題なし。のちには博士号も取得している。

だとしたら、ヨーロッパの新しい「大型ハドロン衝突型加速器（ＬＨＣ）」に手を入れても大丈夫……ってこと？　カッコいい傷痕だけ残って、あとはまったく平気でいられる？　残念ながら、答えはノーだ。あなたにも、あなたの手にもお気の毒だが、ロシアのU－70加速器なんてLHCがもつパワーの一パーセントにも満たない。

LHCは世界最大の出力をもつ粒子加速器だ。一周約二七キロの円形のトンネルの中で、陽子を〇・九九九九九九九c（光速［c］より時速一一キロ遅いだけ）にまで加速させて正面衝突させることができる。衝突のエネルギーがあまりに大きいため、微小なブラックホールがつくられて地球が破壊されるんじゃないかと（そうなったらどうなるかは19章参照のこと）、少数ながら声の大きい一派が懸念を表明したほどだ。LHCの中では約一〇〇〇億個の陽子が束になって流れており、これを光速近くまで加速すると途方もない量のエネルギーをもつに至る。これは、重さ四〇〇トンの電車が時速一六〇キロほどで走っているのと同じだ。

これだけ大きなエネルギーになると、厚さ三〇メートルの銅板に一〇〇〇分の一秒で穴をあけることができる。加速器のほとんどが地下に建設されているのはそのためだ。万が一誤動作が起きても、殺人ビームが都市を貫くことのないようにしている。

ということは、そこに手を突っこんだらいささかまずいことになりそうだというのは、さすがのあなたもすぐに気づくはずだ。でもここはひとつ、警告の標識を思いっきり無視してやってしまったとしよう。まず初めに悲鳴を上げるのは……あなたの耳だ。

陽子ビームを細くまっすぐに絞る装置には、カーボンファイバー製の出口がついている。ビームが波打っているとそのカーボンファイバーに当たり、そのうるさいことといったらない。コンサート会場でスピーカーの真ん前に立っているようなものだ。また、衝突実験を終えた陽子を、「ビームダンプ」と呼ばれるグラファイト製ブロックに吸収してエネルギーを下げるのだが、その際に重さ九〇キロのTNT爆弾を炸裂させたような音が出る。あなたの鼓膜を吹きとばすには十分だろう。

ということで、耳栓はしておいたほうがいい。とはいえ、はっきりいって鼓膜がどうなろうとすぐに気にならなくなる。もっと大きな問題は陽子ビームの威力だ。

陽子ビームは、まるでそこに何もないかのように手のひらを通りぬけていく。ビームは細く、幅は鉛筆の芯くらいだ。しかもとんでもないスピードで進むので、手のひらに穴があいても痛みは感じない。うまく骨をよけてくれれば、手の機能になんの支障もきたさずに済む見込みが大きい。ただしそれは、あなたが手をじーーーっと動かさずに入れておけるなら、の話。

ロシアのU-70加速器はLHCより出力が小さいだけでなく、たとえるなら弾を一発だけ撃つようなものである。だからブゴルスキーも頭に穴が一個あいただけだった。それにひきかえLHCは陽子のマシンガンともいうべきもので、二秒間で三〇〇〇発近くを発射する。最初の一撃のあとに腕を引いてしまえば、あなたの手はまっぷたつだ。

なので、それはやめるように。

あなたの(願わくば)じっと動かない手のひらを陽子ビームが通過していくあいだ、はるかに厄介なプロセスが始まる。これほどの高速で移動する粒子は、強力な放射能をもつものだ。ビームから数百メートル離れていても、胸部レントゲンと同じくらいの放射線を浴びるほどである。

なのに、あなたの場合はビームがまともに当たるわけだから、どれくらい被曝するかを正確に予測するのは難しい。確かにビーム自体は巨大な放射能をもち、人の命をたちまち(しかも何度も)奪うことができる。でも、放射線のほとんどはあなたに命中しないのだ。あなたは自分の手がみっしりした固体だと思っているんじゃないだろうか。どっこい、原子レベルで見れば隙間だらけである。

手のひらに含まれる原子一個をアメフト・スタジアムくらいに拡大したとすると、原子核は中央の五〇ヤードライン上に置かれたビー玉にすぎない。あなた目がけて飛んでくる放射線の弾丸もやはりうんと小さいので、そのほとんどはどこにもぶつからずにあなたを即死から救ってくれる。あいにく、この「ほとんど」というのがミソ。当たる弾数が少ないとしても、あなたを苦しませながらゆっくり殺すだけの力はある。

Ｕ－70加速器のエネルギーはＬＨＣの一〇〇分の一にも満たないのに、それでもブゴルスキーは放射線障害で命を落とすものとみられていたくらいだ。ＬＨＣの陽子ビームをまともに浴びようもんなら、最終的に命はないと自信をもっていいきれる。陽子ビームが手に当たると、透過性の強い中性子が発生し、それが体中を駆けめぐって一〇シーベルト以上の全身被曝となる。その先のあなたは、たぶん一九九九年の東海村臨界事故で犠牲となったふたりの作業員と同じ経過をたどるだろう。

ふたりが少量の核燃料を加工しているとき、配合を誤ってウラン溶液が臨界状態に達してしまった。通常は、致死量の被曝をしてもすぐに具合が悪くなるとは限らない。数時間してから様々な症状が現われるものだ。だが、極度に多量の放射線を浴びた場合（このふたりやあなたのように）、時間差は起きない。

陽子ビームが手のひらを貫くやいなや、あなたの視界は青く変わる。この現象は「チェレンコフ放射」と呼ばれ、眼球内部の液体を放射線が光速より速く通過した結果として起きる。光の進む速度は、水中だと真空中より三〇パーセント遅い。この光速を超える速度で粒子が移動するとどうなるか。物体が音速を突破したときに衝撃波が発生するように、「光（電磁波）の衝撃波」ともいうべきものが生じて、それがチェレンコフ放射として観測される。東海村の事故のときもふたりの作業員は青い光を見たと証言していた。

続いて、陽子ビームのエネルギーに熱せられるため、あなたは部屋の温度が上がったように感じる。実際の室温にはなんの変化もないのに。

また、放射線が胃の内壁を攻撃したとたん、ほとんど間髪を入れずに吐き気に襲われる。皮膚はひどい火傷を負い、呼吸が困難になって、意識を失う場合もある。白血球数は急激に低下してほぼゼロとなり、免疫系がうまく働けなくなる。内臓の損傷もゆっくりと進行していく。医者は症状を和らげるのが精一杯で、被曝した臓器については打つ手がない。具体的にどれくらいの線量を浴びて、放射線障害がどのように進むかによっても違ってくるが、おそらくあなたは四～八週間のうちに息を引きとる。

一方、手のひらにあいた穴はごく小さいのでじきに癒え、わずかな傷痕を残すのみとなるだろう。

40 読書中にいきなりこの本がブラックホールになったら

大型ハドロン衝突型加速器の建設が計画されたとき、陽子が衝突するエネルギーで微小なブラックホールが生まれ、地球を呑みこむんじゃないかとの懸念の声が一部から上がった。幸い、そんなことにはならなかった。ブラックホールをつくるのは、今のところ私たちの手に余る。そしてそれはいいことでもある。どんなに小さくても、ブラックホールは避けるに越したことがないからだ。たとえばこの本がどこまでも小さく潰れてブラックホールになったとすると、いくつかのことが起きるが、どれひとつとして楽しいものはない。

十分な小ささにまで圧縮できれば、なんだってブラックホールになれる。ほとんどの物体がそうならないのは、そこまで小さくする手立てがないからだ。ブラックホールをつくれるだけの力があるのは、私たちの知る限り巨大恒星の重力だけである。

すべての物体は自らの重力場をもつ。だが、ブラックホールをつくれるほどの重力を有するのは、本当に大きな（太陽の二〇倍以上の質量の）恒星だけだ。

ただし、ビッグバンのさなかには、巨大恒星より小さな物体（たとえば本書）であっても、潰れてブラックホールになるような力が生みだされた可能性がある。

何がいいたいかというと、読みおわったとたんに本書がブラックホール化するとは考えにくいものの、一〇〇パーセント不可能じゃないということだ。そしてもしも実際にそうなったら、急いで逃げたほうがいい。

仮にこの本の重さを五〇〇グラムとしようか。縮んでブラックホールになったとしてもその質量は変わらず、ただうんと小さくなるだけである。ざっと計算して、陽子の一兆分の一の小ささ。その陽子だって、原子のほんの一部にすぎないわけだが。

スティーヴン・ホーキングの計算によればブラックホールは完全に真っ黒（ブラック）なわけじゃなく、少しずつ「ホーキング放射」が漏れだしていっていずれ蒸発する。大型のブラックホールならそこまでいくのに時間がかかるものの（天の川銀河の中心にあるブラックホールでは一〇の一〇〇乗年先）、この微小な「とんでもない死に方の科学ブラックホール」の場合は、ブラックホールになった一瞬あとにはもう消えうせているはずだ。

だからって、静かにひっそりと幕が閉じられると思ったら大間違い。その一瞬のあいだに、本書は広島型原爆の五〇〇倍のエネルギーで爆発する。強烈な閃光が放たれ、X線やガンマ線を含む様々な電磁波が一帯に降りそそぐ。空気は電離（イオン化）し、高温となり、ぼうっと輝く。巨大な衝撃波が何キロにもわたって広がり、ビルをなぎ倒す。

あなたの周囲もあなた自身も、完膚なきまでに破壊されるだろう。だが、ありがたいことに本書の情報はなくならない。ホーキングらによる最新の仮説によれば、ブラックホール内部の情報は完全に消滅するわけじゃない。ただ私たちには読み方のわからない言語に変換されるだけだという。

残念ながら、それが解読されるまでには何千年もかかるだろうし、その頃には今ある言語がとっくの昔になくなっているかもしれない。

ということで、この本がブラックホールに変わることはたぶんなく、だからあなたがばらばらに吹きとんで電磁波を浴びて蒸発してイオンになるとは考えにくいけれど、可能性がゼロじゃない以上、解読を担当する未来の物理学者にも絶対に通じる表現を使うのがぼくらの務めだと思うのだ。それにはこれしかない。

未来の皆さん――　☺

41 とんでもなく強力な磁石をおでこに当てたら

冷蔵庫のマグネットを一個はがして、おでこに当ててみよう。どう？　何も起こらないよね？　そう、ピリッともしない。

それは人間が磁石の引力の影響を受けないからであり、地上最強の磁石をもってしても結果は同じだ。科学者がつくりだした磁石のなかで最も強力なのは四五テスラ（冷蔵庫のマグネットは〇・〇〇一テスラ）。あなたを宙に浮かせる力はあるけれど（これについてはのちほど）、危害を加えることはできない。

とはいえ、地球以外に目を向ければ、そこには銀河最強の冷蔵庫マグネットともいうべき星がある。珍しいタイプの中性子星の一種「マグネター」だ。これは一〇〇〇億テスラという桁外れの磁場をもち、その磁力は原子をもゆがめる。

恒星の質量がたいして大きくないと、超新星爆発を起こしてもブラックホールにはならない。ただ自らの重力で潰れていって、超高密度の核だけが残る。これが中性子星だ。この中性子星が最初にものすごく高速で自転していると非常に強力な磁場が生まれ、そうなったものをマグネターと呼ぶ。

マグネターは異常なまでに強力な磁石なので、月の代わりにマグネターを置いたら地球上のクレジットカードは全滅するだろう。超強力な磁力のおかげで、マグネターは銀河でも有数の破壊力を誇る。本書を書いたのが四〇年前だったらマグネターのことなんか知らなかったから、「この銀河では磁石で死ぬことはない」といいきっていただろう。ところが一九七九年、とあるマグネターが星震（星の表面に生じる振動や波動現象）を起こし、人工衛星が通常の一〇〇倍ものガンマ線を捉えてその存在が明らかになった。

そのマグネターは地球から五万光年離れたところにあり、二〇〇四年にはさらに強力なガンマ線を放っている。そのエネルギーたるや、私たちの太陽が放出するエネルギーのじつに二五万年分。おかげで人工衛星の計器は乱れ、地球の磁場も変化した。このマグネターが星震を起こしたときに不運にも一光年以内の距離にいたら、あなたは強烈な放射線を浴びて確実に昇天する。

星震のないときならもう少し近づけるものの、マグネターからの距離が一〇〇〇キロを切ったら超強力な磁力が厄介な問題を引きおこす。

たぶんあなたには自分が磁石だという自覚がないだろう。でも実際はそうなのであり、ただ哀れなほどに磁力が弱いというだけにすぎない。人体の約六〇パーセントは水分で、水は反磁性体である。つまり、十分に強力な磁石があれば、磁石の正極にも負極にも反発するということだ。何かというと、磁石があれば、あなたを浮かせることができる。

かつて科学者は一〇テスラの磁場のなかでカエルを浮揚させたことがある。これは、MRI装置の五倍の磁力だ（カエルに害はなかった）。あなたの場合も、一〇テスラの大きな磁石がつくれればちゃんと浮けるはずである。[1]

あいにく、マグネターの上空で浮くのは無害とはいかない。一〇〇〇億テスラの強力な磁力にさらされるわけだから、体内の様々なプロセスが影響をまぬかれないのだ。今現在、あなたの原子の形はビーチボールに似ていて、原子核のまわりを電子が円を描いて回っている。それが普通だし、そうでないと困る。ところが、原子もまた磁石だ。マグネターから一〇〇〇キロ以内に入ると、あまりに強力な磁力に引っぱられて電子の軌道が細長い楕円形になる。ビーチボールが葉巻の形に変わるわけだ。それは大変によろしくない。

原子が球体でなくなると、折りたたまれていたタンパク質がほどける。さらには、原子と原子をつないで分子にしていた結合が壊れる。たとえば、H_2Oが二個のHと一個のOと化すわけだ。たちまちあなたはばらばらになり、無数の原子となって漂う。

これはとてつもなく致命的である。

あなたの分子がばらばらになった瞬間を通りすがりの宇宙船が目撃していたら、あなたは人間形のガスとなってキラキラ輝いているように見えるに違いない。でも、それがあなたの最終形じゃない。

あなたの体をつくっていた様々な原子は、種類によって異なる磁性をもっている。そのため、ガスの一部はマグネターのほうに引きよせられ、別の部分は遠ざかって、あなたの体は引きのばされていくことになる。それからマグネターの重力が作用しはじめる。

マグネターはとても小さく、マンハッタンくらいの大きさしかない。なのに信じがたいほど密度が大きいので、途方もなく強力な重力場をもつ。その結果、星の重力が磁場の反発力にまさり、あなたは細長く伸びた姿でマグネター目がけてスピードを増していく。

あなたの最後の名残りは、煙突から立ちのぼる一筋の煙のような姿で加速していく。煙がついにマグネターに突っこむとあなたの原子はたちまち潰れ、電子が陽子と合体

1　これは一〇〇パーセント無害だと確信しているので、ぼくらもぜひやってみたい。

して中性子の集まりになる。そして結局はそれさえも、赤血球一個程度のサイズに圧縮されるのだ。

42 クジラに飲みこまれたら

旧約聖書に預言者ヨナの物語が出てくる。ヨナは神の命に従わなかったためにクジラ〔訳注　新共同訳『聖書』には「巨大な魚」とある〕に飲みこまれ、その腹の中で三日三晩過ごしてから無傷で海岸に吐きだされた。ヨナは心を入れかえ、堕落したニネベの都を導いて罪を悔いあらためさせた。

これが本当だとすれば、ヨナには外部の協力者がいたんじゃないだろうか。だって、海洋生物学者によれば、クジラの腹に入るのは相当に危険らしいからである。それでもあなたがどうしても飲みこまれてみたいなら、マッコウクジラを見つけるといい。たいていのクジラはプランクトンのような微生物を食べるので、のどの幅はせいぜい一〇〜一三センチ程度。それは世界最大のシロナガスクジラも同じで、気づいたらシロナガスクジラの口の中だった、なんてことになったらさあ大変。人間はでかすぎてのどを通らないから、重さ三トン近い舌の強烈な一撃をくらって旅を終えるのが落ちだ。

それにひきかえ、マッコウクジラはダイオウイカのような大物を餌にする。重さ一八〇キロくらいの動物を丸呑みにした記録も残っているほどだ。だから理屈のうえでは、あなたはマッコウクジラののどの奥へと進める。でも、たとえ歯や舌をかいくぐったとしても、四つある胃のひとつ目は避けて通れない。そして、そこでまた別の問題がもちあがる。

クジラは腹の中でガスが発生しやすい動物だ。あなたを待っているそのガスの正体は、酸素じゃなくてメタンのみ。メタン自体に毒性はないものの、呼吸を困難にすることで窒息させる性質をもつ。訓練を受けていないと、ほとんどの人は三〇秒くらいしか息を止めていられない。体組織であれば、酸素が不足してもたいていは問題がなく、補充がなくても数時間はもつ。けれど脳ではまったく話が違う。血中に残った酸素が底をつけば、脳細胞はたちまち死滅しはじめる。いと高き力の介入がない限り、四分ほどで修復不能の損傷を受け、数分後には完全な脳死が訪れる。

そうそう、あなたはクジラの胃とも格闘する羽目になる。マッコウクジラは食物を噛まずに飲みこみ、第一胃の筋肉でそれを小さく押しつぶす。だから、強力な胃酸に溶かされるチャンスすら巡ってこないうちに、胃の筋肉で粒入りピーナッツバターもどきにされてしまう。

でも、ご安心あれ。耳寄りな話がある。マッコウクジラは世界で最も高価な糞をする。竜涎香(りゅうぜんこう)だ。これは胆管からの分泌物が腸内で固まって排泄されたもので、香水の原料として珍重されている。一ポンド(約四五四グラム)の塊だと六万ドルくらいの値がつく。[1]

つまり、窒息して潰されて溶かされて、三〇〇メートルの腸管を通って肛門から出されたあと、あなたの残骸はどこかの浜辺に打ちあげられるかもしれない。たまたま日光浴をしていたラッキーな人が、竜涎香と糞臭にまみれた蠟状のあなたを拾い、それを売って小金(こがね)を儲ける。そこから先はもう大丈夫。運がぐんぐん上向いていくから。調香師が手を加えると、あなたの亡骸(なきがら)は格段にいい香りを放ちはじめる。しかも、あなたの終(つい)の棲家(すみか)は地面の穴や海底なんかじゃない。どこかのご婦人のうなじだ。あなたの優しいひと吹きで、女性を芳(かぐわ)しくしてあげられるのである。

ほかに色々な死にようがあることを思えば、あなたにも神の介在が信じられるんじゃないだろうか。

1　今度海岸に行ったら、クリーム色か焦げ茶色の硬くて臭い「岩」を探してみるといい。巨大な耳垢のように見えるものだ。手に入れれば金持ちになれる。

43 潜水艇で深海に潜っているときに外に泳ぎに出たら

一九六〇年一月、スイスの海洋学者ジャック・ピカールとアメリカ海軍のドン・ウォルシュは、特注の潜水艇に乗りこんで世界一深い海底を目指した。場所はマリアナ海溝。グアム島の東にあり、深さはおよそ一万一〇〇〇メートルだ。ふたりは五時間かけて海底に到着したものの、わずか二〇分の探査で窓にひびが入り、急ぎ海面に戻るのを余儀なくされた。[1] ふたりはその短い滞在時間で数種類の科学実験を行ない、いくつかの発見をする。ただ、潜水艇を離れて泳ぎに出ることはなかった。

もしそんなことを試していたら、どうなっただろうか。

プールの底まで泳ぐと、たとえ一～二メートルの水深であっても押しつぶされるような感覚を味わう。とくに耳への圧迫感がすごい。ところが、深さ一万一〇〇〇メートルともなれば、水圧はざっとその一〇〇〇倍。マリアナ海溝の底に体ひとつで潜ったら、一平方センチあたり一一〇〇キロ超の重さがあなたにのしかかる。驚いたことに、これだけの圧力を受けても体はぺちゃんこにならない。少なくとも全部は。それはあなたがほとんど水でできているからで、水というのは圧縮できない。だが例によって問題は、すべてが水なわけじゃないという点。気体のたまった中空の部分が面倒なことになる。

潜水艇の外に足を踏みだすやいなや、耳の鼓膜は吹っとび、鼻の穴とのどの管が瞬時にふさがる。どっちも嬉しくはないが、本当に大変なのは胸だ。胸が陥没し、肺がピンポン玉くらいに圧縮されて今度は水で満たされる。体中の空洞部分が軒並み潰れ、ついにあなたは人間形の硬い肉の塊になり果てる。[2]

外見をほのかに留められることを思えば、恵まれているというべきなんだろう。た

1　このとき窓全体にひびが入っていたらどうなっただろうか。深海の水圧で窓が割れたとたんにすさまじい勢いで水が流れこみ、中の人間ふたりをズタズタにして潜水艇の反対側を易々と吹きとばしたに違いない。さらにふたりは水の重みで押しつぶされる。

2　しかも海底はべらぼうに寒い。マリアナ海溝から浮かびあがりさえすれば、水面は快適で水着でもオーケーだが、冷たい水は温かい水より密度が大きいので下に沈む。潜水艇の外に出たら水温は一℃だ（四五分ほどで息の根を止められる冷たさ）。でも、考えてみたらすでに顔が陥没しているだろうから、きっと水温なんて気にならないよね。

だし、その姿をほかの人が目にすることは未来永劫にない。あなたの死体にはエアポケットが残っていないので、海面に浮かびあがれないのだ。亡骸（なきがら）は底に沈んだまま徐々に分解されていく。ただ、超低温の水の中では細菌がうまく仕事ができないので、完全になくなるまでには時間がかかる。なので、たぶん海底にすむ様々な生き物に食われていくことになりそうだ。そしてあなたの骨は、「ホネクイハナムシ」という素敵な名前の生物の餌となる。この生き物はいつもはクジラの骨から栄養を摂って生きているのだけれど、あなたのためなら例外をつくってくれるに違いない。

44　太陽の表面に立ったら

人間の命は簡単に壊れるが、あなたをつくっている物質はそうじゃない。火山に飛びこもうが、隕石に潰されようが、あなたの原子は多少なりとも残る。でも、それじゃ往生際が悪い？　いっそ自分を徹底的に滅ぼしつくして原子レベルでも死んでみたい？　だったら太陽に目を向けてみてはどうだろうか。

少しでも早く太陽に降りたちたいなら、燃費はよくないものの単純な方法がある。ただそこに落ちていくに任せるのだ。[1]今現在、地球は太陽のまわりをおよそ時速一〇万キロで公転している。「公転」を平たくいいかえれば、天体に向かって落下してい

1　燃費は悪くても、化石燃料を使っていない分、かなりエコではある。それを思うと、あなたの宇宙船はハイブリッドカーなんかよりよっぽど環境に優しい。

るのに同時に横にも移動しているから目的地に着かない、ということだ。だから、太陽に到達したいなら、横への動きをやめればいい。

まずは地球の重力から逃れよう。地球から一五〇万キロくらい（月までの距離の約四倍）も離れれば十分だ。次に逆推進ロケットに点火して、あなたの公転速度を時速一一万キロからゼロにまで減速する。

それから太陽に向かって加速を開始する。太陽に着く頃には、あなたの移動速度は秒速六一八キロほど。これは時速にして約二二二万キロであり、人類が達成したスピードとしてはぶっちぎりで歴代一位だ。この方法なら、わずか六五日で太陽に行ける。そのうちの六四日は順調に進むはずだ。ただし、X線と熱から身を守るシールドは必要になる。おすすめはカーボンファイバー製で、NASAが計画中の（無人の）太陽探査機「パーカー・ソーラー・プローブ」にも使用されている。このシールドはすごく性能が高く、温度が一四〇〇℃近く（太陽の見かけ上の表面から残り四時間の距離）になってもびくともせずに船内を室温に保ってくれる。

あいにく最後の四時間を切ると、さすがのシールドも超高温に耐えきれない。なにしろコロナ（太陽外縁のガス層）は磁場に熱せられていて、その温度がゆうに一〇〇万℃を超えるのだ。

あなたはまだ真空中にいるので、最初のうちは太陽表面からの放射熱しか感じない。

それでも五五〇〇℃くらいはあるから、何もかもを蒸発させるには十分だ。熱シールドも、宇宙船も、そしてあなた自身も。

それからコロナの中でしばらく過ごすうちに、蒸気と化したあなたの名残りは一〇〇万℃超にまで熱せられ、固体・液体・気体に続く第四の状態であるプラズマとなる。要は電離した気体だ。この状態になると、太陽の磁場があなたをつかんで伸ばして細長いスパゲッティ状にし、それからそれをねじ曲げて輝く光の弧に変える。そのとき太陽のほうを向いていた宇宙望遠鏡は、なんとも美しい光景を捉えることになるだろう。

そうだ、あなたは地球に帰ってこられるかもしれない。ちょうどいい小ささにまでズタズタにされたところで、太陽の磁場があなたをすごい勢いで宇宙空間に放りだしてくれるのだ。そのスピードに乗れば、地球までの一億四九六〇万キロなんてものの数日である。

ここまでの話は実際に起きてもおかしくないことばかり。ＮＡＳＡがその気になりさえすれば、あなたはしっかりプラズマになれる。でもせっかくだからしばし現実から逃避して、あなたの熱シールドに改良を加えてみよう。それを使えばコロナを突っきって、太陽の見かけ上の表面に達することができる。[2]

表面に着くと、逆に温度は下がってまあまあ穏やかな約六〇〇〇℃になる。真空に近いコロナを抜けて、ここはもう太陽大気の中だ。

　熱シールドがまだ溶けていないとして、あなたが最初に気づくのは音かもしれない。宇宙空間では誰の叫び声も届かないし、太陽がすさまじい轟音を上げているのも聞こえない。仮に音が地球まで完璧に伝わるとしたら、太陽の咆哮（ほうこう）はさしずめエンジンをふかしているバイクだ。ガスの泡が弾けようもんなら、太陽表面でのうるささは推して知るべし。地球上だってそれほどなんだから、まさに耳をつんざくようなすさまじい音がする。コンサート会場のスピーカーの前に立つより一〇〇倍もうるさい。そこまでになれば衝撃波が発生し、あなたの肺胞は破裂する。

　でも、あなたはこうなるのを想定して、夢の衝撃吸収材で身を包んでいたとしよう。

　そしてついに太陽の中心部に達する。

　太陽と木星の一番の違いは成分自体じゃない。それぞれの成分（ほぼヘリウムと水素）がどれくらい多いかだ。太陽の質量は木星の約一〇〇〇倍。つまり、中心部の温度と圧力があまりに大きいために核融合反応が起きている。

　核融合反応を間近で見るのはもちろん危険だし、あなたの場合はそれに参加するわけだからなおさらまずい。

　太陽の内部は温度がおよそ一五〇〇万℃。圧力は地球表面の二五〇〇億倍にも達する。これは、あなたの体の水素でできている部分（要するにほとんど全身）にとっては都合が悪い。これほどの高温になると水素原子がやたらと高速で動き、原子同士が衝突して重水素や三重水素といった同位体になる。それから同位体同士が合体してヘリウムの原子核に変わる。その結果、今やあなたは動きののろい水素爆弾と化したわけだ。

さて、ここでひとつ指摘しておきたいのだが、太陽がどれだけ上手に熱を生みだすとしてもあなたにはかなわない。人間はソファに座って食べ物をエネルギーに変換しているだけで、重量比でいくと太陽より多量の熱を発生させている。太陽があれだけ熱いのは、サイズがばかでかいからだ。あなたが太陽くらいの大きさだったら、自らつくりだす化学エネルギーで銀河一高温の恒星になれる。

というわけで、あなたがうまいこと太陽内部に到達できたら、放射線を浴びて蒸発するまでの刹那(せつな)に、太陽はいつもよりほんの少しだけ熱くなるだろう。

2　太陽には表面らしい表面がない。木星と同じで、全部がガスでできているからだ。ただ、光球と呼ばれる薄い層があって、その内側はプラズマの密度が高すぎて見通すことができない。そこで、その薄い層を太陽の「見かけ上の表面」としている。

45 クッキーモンスター並みに大量のクッキーを食べたら

空っぽのときの胃袋はこぶし程度の大きさで、ごちそうを前にしたときには腹立たしいほど小さい。幸い胃壁は広がるので、食後のデザートにクッキーが出てきたらけっこう食べられる。一枚、二枚、三枚、四枚……。

もちろん、胃が広がるには限度がある。なのに、食物を飲みこむ筋肉はやたらと強力なので、胃の処理能力以上にクッキーを送りこんでしまいかねない。

それが困ったことにつながる。

クッキーを腹に詰めこむ達人といえば、もちろんクッキーモンスターだ。ちなみに、クッキーモンスターは「セサミストリート」〔訳注　一九六九年にスタートして今も続くアメリカの幼児向けテレビ番組〕に四三七八回登場し、一話につきだいたい三枚のクッキーを平らげることがわかっている（厳密に調査したわけじゃないが）。だとすれば、これまでに食べたクッキーは合計一万三一三四枚。大変な数だが、番組開始からの四十数年でならせばまったく心配はない。

でも、あなたがクッキーモンスターの向こうを張って、それだけのクッキーを全部一気におなかに入れたらどうなるだろうか。

「満腹」というのは、腹がいっぱいなことを指す医学用語だ。これはじつは複雑なプロセスであって、食物の量だけじゃなく食物に含まれるカロリーの種類もかかわってくる。カロリーの種類が違えば、起きる反応も変わってくるのだ。たとえば、タンパク質や繊維質は満腹になりやすいが、炭水化物や脂肪ではそれを感じにくい。

胃から脳への信号もリアルタイムで伝わるわけじゃなく、脳が満腹のメッセージを受けとるには一五〜二〇分かかることもある。つまり、平らげるスピードが速ければ速いほど食べすぎに気づきにくくなり、それまでに胃に詰めこむクッキーの量が増えるということだ。

普通の人はクッキー約二五枚分の食物で満腹を覚える。これはクッキーモンスターなら一度に夢中で食べきってしまうくらいの量だ。もちろん、胃袋は伸びるので二五枚は物理的な限界じゃないし、大食い大会に出るような人なら胃を広げるコツをいくつか心得ている。

まず、痩せていると有利だ。大食いしながらどうすれば痩せていられるのかと思わなくもないが、とにかく脂肪が邪魔しないほうが胃が大きくふくらめるのは間違いない。

また、下準備としてそれなりのウォーミングアップをしておいたほうがいい。低カロリーでボリュームのあるもの（ブドウなど）を前日の夜に食べておくと、胃が広がって本番でも胃壁が伸びやすくなる。

さて、あなたは順調にクッキーを片づけていくが、六〇枚目に差しかかるあたりで壁にぶつかる（ちなみに、ここでいうクッキーは平均的な大きさのチョコチップクッキーで、よくあるジャンボサイズのものではない）。あなたが六〇枚のクッキーを食べなれている（そのために嘔吐反射が抑えられている）なら話は別だが、そうじゃなかったら胃が抵抗して吐くだろう。でもそれはいいことだ。六〇枚のクッキーはざっと四リットルに相当し、これは胃が裂ける限界に近い。[1]

なぜ胃の物理的な限界がわかっているかといえば、スウェーデンの医師アルゴート・ケイ＝オーベリのおかげである。ケイ＝オーベリは一九世紀後半、アヘンを過剰摂取した患者の胃を洗浄しようと水を流しこんだ。不幸にもこの患者はアヘンのせいで通常の嘔吐反射が抑制されていたため、水を入れすぎた風船のように胃袋が破裂し、手術台の上で息を引きとった。

ケイ＝オーベリ医師はこの出来事に好奇心をそそられる。そして、人間の胃が本当はどこまで伸びるかを見極めるべく、遺体で実験を始めた。結論――平均的な大きさの胃袋に入れられる食物の量は四リットルが限界（パーティーサイズの二リットル入り炭酸飲料ボトルが二本並んだところを想像してみてほしい。それ以上に飲食すると破裂限界に近づく）。

この限界はほとんどの人に当てはまるものの、わずかながら例外もいる。とことん訓練するか、あるいは遺伝的に伸びやすい胃をもっているかすれば、それ以上に食べることは不可能じゃない。現に超人的な胃袋をもつひと握りの人たちが、この四リットルの壁を超える姿を見せつけてきた。フードファイターのジョーイ・チェスナットがいい例だろう。チェスナットは「ネイサンズ国際ホットドッグ早食い選手権」の現チャンピオンで、最高記録は一〇分間に六九個（訳注　二〇二〇年七月の選手権で七五個で優勝して記録を更新した）。それでだいたい九・五リットルくらいであり、チョコチップクッキーに換算すれば一三〇枚分になる。

1　摂食障害の「過食・排出型」の人はとくに裂けやすい。胃がいっぱいの状態に体が慣れてしまい、嘔吐反射が抑えられているからだ。かつてロンドンのファッションモデルが、一度に約八・六キロの食べ物（クッキー八〇枚に相当）を詰めこんだあげく、胃が破裂して亡くなっている。

けれど、あなたの場合はそこまでの強胃の遺伝子には恵まれていない。だとすれば、クッキー九〇枚（約六リットル相当）の節目あたりでいよいよ深刻な事態が待ちうけることになる。

胃袋のなかで一番強度が低いのは「小彎（しょうわん）」と呼ばれる部分だ。胃がソラマメだとすると、マメが内側に湾曲したところにあたる。クッキーが最初につき破るのはこの場所だ。

悪いことに体内の臓器は、クッキーにすむ細菌を防ぐ手立てをほとんどもたない。クッキーが飛びでたとたんに、ウェルシュ菌（別名「ガス壊疽（えそ）菌」）[2]が腹腔の中で増殖を始める。この菌は生きた組織を壊してガスを放出する。ガスのせいで感染箇所が破裂すれば、死んだ組織や腐りかけの組織が腹腔全体にまき散らされる。

細菌が大挙して侵入してくると、免疫系は膨大な量の化学物質を感染場所へ送る。これは広範囲の感染に対する体の防御反応なのだが、この反応が激しすぎて手に負えなくなることがあり、その状態を敗血症性ショックと呼ぶ。こうなったら、もはやその防御反応自体が命取りだ。具体的にいうと、炎症が起こり、血栓がつくられ、血流が低下する。重要な臓器にもっと血液を届けようとして心臓は早鐘のように打ち、体温はしばしば危険なレベルにまで下がる。壊死した組織は黒く腐敗して、匂いを放つようになる。

この感染菌は死んだ組織を隠れ蓑にしているので、白血球や抗生物質が近づけない。この段階にまで進行してしまったら（急速にそうなるが）、手厚い治療が施されてもたぶん助かる見込みはないだろう。一時間足らずで心臓は酸素が不足して拍動を続けられなくなり、心臓が停止すればまもなく完全な脳死が訪れる。

もっとも、あなたの命はその前に尽きていてもおかしくない。空っぽの胃袋がこぶし大だというのを思いだしてほしい。その胃に六リットル分のクッキーが詰めこまれたら、普段の二〇倍を超えている。そうなれば当然、体のほかの機能も支障をきたしてくるだろう。胃の下を通る静脈は、腹部からの血液を心臓に戻す大事な仕事をしているが、これが胃袋に押されてふさがってしまう。

息もしづらくなる。胃が通常の二〇倍にふくらんでいるので、肺は圧迫されて働きが鈍る。クッキーに押されて呼吸困難に陥るわけだ。

呼吸困難と、胃袋の破裂と、腹部の酸欠死を相手にするわけだから（敗血症性ショックはいうに及ばず）、あなたを救うべくどれだけ努力を傾けても予断を許さない状況が続く。最終的には、胃にガスがどれくらいたまっていたかが明暗を分けそうだ。

2　この言葉でグーグルの画像検索をするのは絶対にやめよう。

これほどのクッキーを平らげれば消化の副産物として大量のガスが発生し、胃の内圧が高まって物理的限界を超えるおそれがある。そうなったら胃袋が盛大に弾けて、その中身を――つまり死のチョコチップクッキーを――腹腔全体にぶちまけるかもしれない。

「ゲップ死」……とでもいっておこうかな。

謝辞

この本を執筆できたのは、創造性豊かでべらぼうに優しい大勢の人たちが、惜しみなく救いの手を差しのべてくれたおかげである。これっぽっちのスペースに全員の名前を並べるのはとても無理だが、だからって何も書かないのはさすがに憚(はばか)られるので、とくにお世話になった何人かを挙げておきたい。

まずは家族にありがとう。句読点の打ち方から本書のタイトルまで、数えきれないほどのアドバイスをしてくれた。それから、ふざけた質問や真面目な問いを次々に浴びせられても、嫌な顔ひとつしなかった友人たちにもお礼をいう。また、これまでの人生で出会った素晴らしき教師たちにも謝意を表したい。学校の中はもちろんのこと、あるときは議論の場で、あるときは居間で、あるときはキャンプでたき火を囲みながら、またあるときはネット上で、ぼくらを導いてくれた。

素晴らしいセンスで色々な死に方のアイコンを描いてくれたケヴィン・プロットナー、エージェントとして一か八かの賭けに出てくれたマコーミック社のアリア・ハビブとスタッフたち、そして事あるごとにサポートしてくれた担当編集者のメグ・リーダーとペンギン社のチーム全員に、この場を借りて感謝申しあげる。

訳者あとがき

「スティーヴン・キングとスティーヴン・ホーキングを足して二で割ったような本」(「はじめに」より)とはよくいったものである。前者は有名なホラー作家。後者はいわずと知れた天才理論物理学者だ。そのふたりが合体するにふさわしく、本書のテーマはずばり「死に方の科学」。ここには四五通りの死のシナリオが取りあげられている。今日にも起きそうな筋書きもあれば、今生では巡りあいそうにない設定もある。それぞれについてあなたが具体的にどのように死ぬかを描きながら、様々な科学知識を提供しようというのがこの本の狙いだ。

「身近な現象を科学で説きあかす本」はけっして珍しくない。ただ本書の場合、その「身近な現象」が「死」である。私たちはひとり残らずあの世に行くわけだから、考えようによってはこれほど「身近な」話題はないだろう。もっとも人間である以上、心臓が止まって脳死を迎えるという、最後の最後のところにそうそう違いがあるわけではない。だから個々の死をどんなプロセスで演出し、どんな科学を盛りこむかが著者らの腕の見せ所であり、結果的にじつにバラエティーに富んだ魅惑的な（？）死に方が勢揃いした。

特筆すべきは、「もし●●したらこうなる」というパターンを踏襲しながらも、けっして検証不能な思考実験のみに終始していない点だ。実際に恐怖のシナリオを体験した（せざるを得なかった）人たちの話もふんだんに紹介されていて（二二〇〇匹のミツバチに刺される、エレベーターのケーブルが切れて七五階分を落下する、四六Gの負荷を受けて瞬間的に体重が二トンを超える、など）、それが本書に驚きとリアリティーを添えている。

こういう極限の実例や、一見荒唐無稽に思える死のシナリオに触れて気づくのは、科学を提示するうえで「死」がひとつの有効な切り口になるということだ。死すべき人を色々な環境や現象のなかに置くことで、その環境や現象の背後にある科学を解説できるのはもちろんのこと、そうした環境と人体の相互作用や、人体の機能や、生物としての人間がもつ能力や限界などに光を当てる手段ともなるのである。

死に方の多彩さを反映するように、カバーされている分野も多種多様だ（物理学、天文学、生物学、古生物学、化学、地球科学、等々）。あるシナリオでは思わず笑ってしまうくらい無理やりに、別のシナリオでは「なるほど」と膝を打ちたくなるような角度から、様々な科学的情報が示されている。後者の例として視点の秀逸さが光るのが、たとえば17章。タイムマシンで過去と未来の色々な時代を訪ね、「その時代でどう命を落とすか（またはどう生きのびるチャンスがあるか）を明らかにする」ことにより、地球の歴史と生命進化の歴史を駆け足ながらきわめて巧みに説明している。

そんな真面目で不気味な死の科学を、本書はブラックユーモアにくるんで不謹慎なまでに軽快に語っていく。そこには、著者ふたりの専門領域がうまく活かされているようだ。著者のひとりコーディー・キャシディーはスポーツライターで、もうひとりのポール・ドハティーは物理学者。臨場感とテンポのよさはスポーツの実況中継を思わせるし、ドハティーはアメリカの体験型科学博物館「エクスプロラトリアム」の上級研究員（当時）だけあって、科学をわかりやすく面白く表現するのはお手の物である。

こうした要素が絶妙に嚙みあった結果、おぞましくも可笑しく、恐ろしくもお勉強になるという、ありそうでなかった一冊ができあがった。本書を読めば、死に方の科学が立派な知的エンターテインメントになることを実感するだろう。

「だからどうした」なんて野暮なことはいいっこなし。「そんなことあるわけない」と目くじら立てるのもご勘弁願いたい。ただ気楽にページをめくり、へえと驚き、眉をひそめつつもときおりくすっと笑いながら、最後まで楽しんでもらえれば幸いだ。
さて、あなたはどの死に方がお好みだろうか。

なおポール・ドハティーはがんのため、本書刊行後の二〇一七年八月に自身が帰らぬ人となった。なんとも皮肉な巡りあわせである。謹んでご冥福をお祈りする。最後に謝辞を。翻訳の一部は林美佐子さんにお手伝いいただいた。この場を借りてお礼申しあげる。また、原稿を丹念にチェックして訳者の詰めの甘さを補ってくださった校正の方と、この楽しい本を訳す機会を与えてくださり、的確な指摘と細やかなサポートでいつも訳者を助けてくださる河出書房新社の九法崇さんに、心から感謝申しあげる。

二〇一八年五月　　梶山あゆみ

文庫版訳者あとがき

いきなりの告白で恐縮だが、自分の訳書のなかでどれがとくに好きかと訊かれたら、本書は間違いなく三本の指に入る。それくらい、訳す作業が楽しくてしかたなかった。シュールなホラー映画のようでありながら、ハチャメチャでブラックなコメディのようでもあり（「死」がテーマなのに）、さらには実際に無茶なことを試したビックリ人間列伝の趣も漂う。それでいて、根底にあるのはあくまで「科学」だ。この稀有な組みあわせの本書が、文庫版というかたちで読者の手に取りやすいものになったことは、訳者として本当に嬉しい限りである（文庫化に際しては、誤植の修正等のために表現や用字を一部改めたことをお断りしておく）。

単行本のあとがきにも記したとおり、本書の共著者のひとりである物理学者のポール・ドハティーは、残念ながら原書刊行後の二〇一七年に六九歳で鬼籍に入った。だが、もうひとりのコーディー・キャシディーのほうは、『*WIRED*』誌に寄稿するなど現在も活躍中だ。そして二〇二〇年の五月、初の単独著書となる『*Who Ate the First Oyster?*（初めてカキを食べたのは誰？）』を刊行して好評を博している。これは、先史時代や文字をもたない文化における様々な「人類初」に着目し、それぞれを成し遂げた個人（〇〇人や××族ではなく）の姿に最新の考古学研究で迫るという一冊だ。本書のようなハチャメチャ感とは異なるものの、ユニークな切り口と軽快な読み味は健在である。日本語版は同じく河出書房新社から（拙訳で）今年刊行予定なので、こちらにもぜひ注目してほしい。

本書は「はじめに」を終えてしまえば、あとはどこからページを開いていただいても構わない。気になるテーマを拾いながら、一冊丸ごと楽しんでいただければ幸いだ（バスや電車の中でつい吹きだしてしまって白い目で見られても、当方はいっさい関知いたしません）。

二〇二一年一月　　　　梶山あゆみ

／渡辺慎介共訳、培風館、1979年、1980年）

Hyperphysics: http://hyperphysics.phy-astr.gsu.edu/hbase/hph.html

http://hyperphysics.phy-astr.gsu.edu/hbase/pflu.html

44　太陽の表面に立ったら

太陽からのX線
http://sunearthday.nasa.gov/swac/tutorials/sig_goes.php

45　クッキーモンスター並みに大量のクッキーを食べたら

胃袋の限界に関するケイ＝オーベリ医師の研究
The Lancet, September 19, 1891, 678

全般的に参考にしたものやヒントを得たもの

Sebastian Junger, *The Perfect Storm*（『パーフェクトストーム――史上最悪の暴風に消えた漁船の運命』セバスチャン・ユンガー著、佐宗鈴夫訳、集英社文庫、2002年）

Randall Munroe, *What If?*（『ホワット・イフ？――野球のボールを光速で投げたらどうなるか』ランドール・マンロー著、吉田三知世訳、早川書房、2015年）

Philip Plait, *Death from the Skies!*（『宇宙から恐怖がやってくる！――地球滅亡9つのシナリオ』フィリップ・プレイト著、斉藤隆央訳、NHK出版、2010年）

Jearl Walker, *The Flying Circus of Physics with Answers*（『ハテ・なぜだろうの物理学（I, II, III）』J・ウォーカー著、戸田盛和／田中裕

41　とんでもなく強力な磁石をおでこに当てたら

マグネターとは何か
http://www.scientificamerican.com/article/magnetars/

磁気浮上
http://www.ru.nl/hfml/research/levitation/diamagnetic/

強磁場の物理学
https://arxiv.org/abs/astro-ph/0002442

42　クジラに飲みこまれたら

マッコウクジラののどの大きさ
http://www.smithsonianmag.com/smart-news/could-a-whale-accidentally-swallow-you-it-is-possible-26353362/?no-ist

竜涎香に関する説明とその価値
http://news.nationalgeographic.com/news/2012/08/120830-ambergris-charlie-naysmith-whale-vomit-science/

43　潜水艇で深海に潜っているときに外に泳ぎに出たら

過度の圧力が人体に及ぼす影響
https://www.cdc.gov/niosh/docket/archive/pdfs/NIOSH-125/125-ExplosionsandRefugeChambers.pdf

海の深さと水圧の関係

陽子－陽子連鎖反応
http://hyperphysics.phy-astr.gsu.edu/hbase/astro/procyc.html

38　虫眼鏡の下のアリになったら

マサチューセッツ工科大学の学生による「アルキメデスの熱光線」の再現実験
http://web.mit.edu/2.009/www/experiments/deathray/10_ArchimedesResult.html

多数の光線を狭い1か所に集中させる
https://www.sfsite.com/fsf/2001/pmpd0101.htm

39　粒子加速器に手を突っこんだら

大型ハドロン衝突型加速器
http://home.cern/topics/large-hadron-collider

粒子加速器に頭を突っこんだ男の話
http://www.extremetech.com/extreme/186999-what-happens-if-you-get-hit-by-the-main-beam-of-a-particle-accelerator-like-the-lhc

40　読書中にいきなりこの本がブラックホールになったら

もしも1枚のコインがブラックホールになったら？
http://quarksandcoffee.com/index.php/2015/07/10/black-hole-in-your-pocket/

カナダのツンドラ地帯で1分間に約9000回蚊に刺された研究者チームの話
Richard Jones, *Mosquito,* 51

35　本物の人間大砲となって撃ちだされたら

砲弾の初速
http://defense-update.com/products/digits/120ke.htm

36　●●がエンパイアステートビルの屋上から降ってきたら

1セント銅貨の終端速度
http://www.aerospaceweb.org/question/dynamics/q0203.shtml

口でブドウの実をキャッチする方法
George Plimpton, *George Plimpton on Sports,* 187

サッカーボールよりひとまわり大きいバスケットボールの反発係数
http://blogmaverick.com/2006/10/27/nba-balls/3/

37　誰かの手を「本当の意味で」握ったら

太陽内部の核融合によるエネルギー生成
http://solarscience.msfc.nasa.gov/interior.shtml

核戦争後の地球に関するコンピュータ・シミュレーション
http://www.popsci.com/article/science/computer-models-show-what-exactly-would-happen-earth-after-nuclear-war

核の冬がもたらす環境への影響
http://climate.envsci.rutgers.edu/pdf/ToonRobockTurcoPhysicsToday.pdf

核戦争後の飢饉に関する核戦争防止国際医師会議（IPPNW）の研究
http://www.ippnw.org/nuclear-famine.html

33　休暇を取って金星に行ったら

太陽系探査に使用されるパラシュート
https://solarsystem.nasa.gov/docs/07%20-%20Space%20parachute%20system%20design%20Lingard.pdf

金星の雷
http://www.space.com/9176-lightning-venus-strikingly-similar-earth.html

34　無数の蚊に刺されつづけたら

パナマ運河建設中の蚊の脅威
http://www.economist.com/blogs/economist-explains/2014/10/economist-explains-2

http://nssdc.gsfc.nasa.gov/nmc/spacecraftDisplay.do?id=1989-084E

惑星の大気
https://www.sfsite.com/fsf/2013/pmpd1301.htm

31　世界一有毒な物質を口に入れたら

ボツリヌス毒素H型の発見
Jason R. Barash and Stephen S. Arnon, *Journal for Infectious Diseases,* October 7, 2013
http://jid.oxfordjournals.org/content/early/2013/10/07/infdis.jit449.short

リトビネンコの死
The Litvinenko Inquiry: Report into the death of Alexander Litvinenko by Robert Owen
http://www.nytimes.com/interactive/2016/01/21/world/europe/litvinenko-inquiry-report.html

32　「核の冬」に見舞われたら

「エイブル・アーチャー危機」に関する機密解除文書
http://nsarchive.gwu.edu/nukevault/ebb533-The-Able-Archer-War-Scare-Declassified-PFIAB-Report-Released/2012-0238-MR.pdf

核の冬が及ぼす壊滅的影響
http://www.helencaldicott.com/nuclear-war-nuclear-winter-and-human-extinction/

/1.4898780

28 「プリングルス」の工場見学をしていて機械の中に落ちたら

工場における過去の死亡事故事例
Factory Inspector, April 1905

29 100万発の弾が入る拳銃でロシアンルーレットをしたら

マイクロモート
http://danger.mongabay.com/injury_death.htm

一般的なリスクに対するマイクロモートの一覧
http://www.riskcomm.com/visualaids/riskscale/datasources.php

日常的な危険をビジュアル化した図
http://static.guim.co.uk/sys-images/Guardian/Pix/pictures/2012/11/6/1352225082582/Mortality-rates-big-graph-001.jpg

30 木星まで旅行したら

木星の大気
http://lasp.colorado.edu/education/outerplanets/giantplanets_atmospheres.php

木星探査機ガリレオのプローブ

http://articles.latimes.com/1985-06-14/news/mn-2540_1_kilauea-volcano

火口に有機物を落としたときの動画
https://www.youtube.com/watch?v=kq7DDk8eLs8

26　ただひたすらベッドで寝ていたら

2017年版「アメリカで最も安全な州」
https://wallethub.com/edu/safest-states-to-live-in/4566/

27　アメリカから中国まで穴を掘って その中に飛びこんだら

地球の構造
http://hyperphysics.phy-astr.gsu.edu/hbase/geophys/earth struct.html

深度別の地球内部の温度
http://en.wikipedia.org/wiki/Geothermal_gradient#/media/File:Temperature_schematic_of_inner_Earth.jpg

対蹠点マップ（どこから掘りはじめればいいかを決めるのに役立つ）
http://www.findlatitudeandlongitude.com/antipode-map/#.VS6rxqWYCyM

地球を通りぬけるのに要する具体的な時間
http://scitation.aip.org/content/aapt/journal/ajp/83/3/10.1119

人間の寿命に関する「ゴンペルツの法則」の単純な導出法
http://www.ncbi.nlm.nih.gov/pubmed/18202874

23 ●●に閉じこめられたら

標準大気の高度別変化
http://www.engineeringtoolbox.com/standard-atmosphere-d_604.html?v=8.3&units=psi#

軍隊のサバイバル・ハンドブック　第7章——尿を飲むな
http://www.globalsecurity.org/military/library/policy/army/fm/21-76-1/fm_21-76-1survival.pdf

24 コンドルに育てられたら

生肉の成分
http://time.com/3731226/you-asked-why-cant-i-eat-raw-meat/

コンドルのマイクロバイオーム
http://www.nature.com/ncomms/2014/141125/ncomms6498/full/ncomms6498.html

なぜコンドルを怖がらせてはいけないか
http://animals.howstuffworks.com/birds/vulture-vomit.htm

25 生贄（いけにえ）として火山に投げこまれたら

実際に溶岩に落ち（て助かっ）た地質学者の話

19　ブラックホールに身を投げたら

ブラックホールに落ちる
https://www.sfsite.com/fsf/2015/pmpd1501.htm

人体のスパゲッティ化
Neil deGrasse Tyson, *Death by Black Hole: And Other Cosmic Quandaries*（『ブラックホールで死んでみる――タイソン博士の説き語り宇宙論』ニール・ドグラース・タイソン著、吉田三知世訳、早川書房、2008年）

20　タイタニック号に乗っていて救命ボートが見つからなかったら

アイスクリーム頭痛
http://www.fasebj.org/content/26/1_Supplement/685.4.short

21　この本に殺されるとしたら

ボンベ熱量計
http://www.thenakedscientists.com/forum/index.php?topic=14079.0

22　年を取ったら

マイクロライフの増減
http://www.scientificamerican.com/article/how-to-gain-or-lose-30-minutes-of-life-everyday/

遠い未来の年表
http://www.bbc.com/future/story/20140105-timeline-of-the-far-future

地球の大気における酸素の歴史
https://en.wikipedia.org/wiki/Atmosphere_of_Earth#/media/File:Sauerstoffgehalt-1000mj2.png

恐竜時代に生きたらどんな感じ？
http://www.robotbutt.com/2015/06/12/an-interview-with-thomas-r-holtz-dinosaur-rock-star/

食べられるかどうかを見極める万国共通のテスト
http://www.wilderness-survival.net/plants-1.php#fig9_5

化石は過去を記録する
https://www.sfsite.com/fsf/2015/pmpd1507.htm

18　人混みで将棋倒しに巻きこまれたら

立っている群集の密度
http://www.gkstill.com/Support/crowd-density/CrowdDensity-1.html

過去の雑踏事故と防止対策
http://www.newyorker.com/magazine/2011/02/07/crush-point

ベンジャミン・フランクリンと静電気
https://www.sfsite.com/fsf/2006/pmpd0610.htm

15　世界一冷たい風呂に入ったら

大型ハドロン衝突型加速器の事故に関する報告書
https://cds.cern.ch/record/1235168/files/CERN-ATS-2010-006.pdf

液体ヘリウムの体積
http://www.airproducts.com/products/Gases/gas-facts/conversion-formulas/weight-and-volume-equivalents/helium.aspx

超低温
https://www.sfsite.com/fsf/2010/pmpd1007.htm

16　宇宙空間からスカイダイビングしたら

軌道速度の計算
http://hyperphysics.phy-astr.gsu.edu/hbase/orbv3.html

大気中を人体が落下する速度
http://www.pdas.com/falling.html

17　タイムトラベルをしたら

太陽の歴史
http://www.space.com/22471-red-giant-stars.html

12　樽の中に入ってナイアガラの滝下りをしたら

ナイアガラの滝下りに挑んだ命知らずたち
http://www.niagarafallslive.com/daredevils_of_niagara_falls.htm

致死的な落下高度に関するNASAの研究
http://ntrs.nasa.gov/archive/nasa/casi.ntrs.nasa.gov/19930020462.pdf

落下速度等の自動計算
http://www.angio.net/personal/climb/speed

13　眠れなかったら

ラットを使った断眠実験
http://www.ncbi.nlm.nih.gov/pubmed/2928622

ランディ・ガードナーの話と、断眠後に起きる神経学的症状
http://archneur.jamanetwork.com/article.aspx?articleid=565718

14　雷に打たれたら

雷に関する書籍
Martin A. Uman, *All About Lightning*

雷に打たれるタイミングと心拍の関係
Craig B. Smith, *Lightning: Fire from the Sky,* 44

8　世界一音の大きいヘッドフォンをつけたら

有史以来の最も大きな音
http://nautil.us/blog/the-sound-so-loud-that-it-circled-the-earth-four-times

冷めたコーヒーを温めるにはどれだけ叫びつづける必要があるか
http://www.physicscentral.com/explore/poster-coffee.cfm

9　次の月着陸船にこっそり乗りこんだら

人間が真空にさらされたら
http://www.geoffreylandis.com/vacuum.html

人間が低圧力にさらされたら
https://www.sfsite.com/fsf/2001/pmpd0110.htm

10　フランケンシュタイン博士の装置に縛りつけられたら

電流が人体に及ぼす影響
http://www.ncbi.nlm.nih.gov/pmc/articles/PMC2763825/

11　乗っているエレベーターのケーブルが切れたら

エレベーターに閉じこめられたニコラス・ホワイトの話
http://www.newyorker.com/magazine/2008/04/21/up-and-then-down

5　ハチの大群に襲われたら

シュミットによる「刺されると痛い昆虫ベスト10」の詳細
Justin O. Schmidt, *The Sting of the Wild*

スミスに関する『ナショナルジオグラフィック』誌の記事
http://phenomena.nationalgeographic.com/2014/04/03/the-worst-places-to-get-stung-by-a-bee-nostril-lip-penis/

ミツバチに刺された痛みに関するスミスの部位別評価
https://doi.org/10.7717/peerj.338

6　隕石が当たったら

隕石の価格
http://geology.com/meteorites/value-of-meteorites.shtml

隕石落下に伴う津波
https://www.sfsite.com/fsf/2003/pmpd0310.htm

7　首がなくなったら

フィニアス・ゲージの話
Malcolm Macmillan, *An Odd Kind of Fame : Stories of Phineas Gage*

水頭症の事例研究
Dr. John Lorber, "Is Your Brain Really Necessary?"
http://www.rifters.com/real/articles/Science_No-Brain.pdf

外傷性血管損傷の治療
http://www.trauma.org/archive/vascular/PVTmanage.html

3　バナナの皮を踏んだら

バナナの皮の摩擦係数
Frictional Coefficient under Banana Skin,
https://www.jstage.jst.go.jp/article/trol/7/3/7_147/_article

人間の頭蓋骨の耐久性と頭蓋骨骨折の物理学
Gary M. Bakken, H. Harvey Cohen, and Jon R. Abele, *Slips, Trips, Missteps and Their Consequences,* 119

4　生きたまま埋葬されたら

雪崩に生き埋めにされた場合の死のメカニズム
H. Stalsberg, C. Albretsen, M. Gilbert, et al., *Vichows Archiv A Pathol Anat* 414 (1989) : 415
http://link.springer.com/article/10.1007%2FBF00718625

密閉空間でどれだけ生きのびられるかの計算
http://www-das.uwyo.edu/~geerts/cwx/notes/chap01/ox_exer.html

二酸化炭素の蓄積による死
http://www.blm.gov/style/medialib/blm/wy/information/NEPA/cfodocs/howell.Par.2800.File.dat/25apxC.pdf

参考文献

気持ち悪さが足りない？　じゃあ、ぼくらのとっておきの情報源をいくつか教えてあげよう。これを読めば、工場の事故や、サメの攻撃や、米空軍の実験についてもっと詳しいことがわかって、ここまでのページに満足できなかった人も納得してくれるはずだ。

1　旅客機に乗っていて窓が割れたら

平均的な人体の寸法
http://www.fas.harvard.edu/~loebinfo/loebinfo/Proportions/humanfigure.html

フロントガラスから吸いだされたブリティッシュ・エアウェイズのパイロットの話
http://www.theatlantic.com/technology/archive/2011/04/what-to-do-when-your-pilot-gets-sucked-out-the-plane-window/236860/

2　ホオジロザメにかじられたら

こちらから刺激していないのにサメに襲われて死亡したアメリカ国内の事例
https://en.wikipedia.org/wiki/List_of_fatal,_unprovoked_shark_attacks_in_the_United_States

本書は二〇一八年、小社より単行本として刊行されました。

Cody Cassidy and Paul Doherty:
AND THEN YOU'RE DEAD
Copyright © 2017 by Cody Cassidy and Paul Doherty
Illustrations by Cody Cassidy

Japanese translation published by arrangement with
Cody Cassidy and Paul Doherty c/o McCormick Literary
through The English Agency (Japan) Ltd.

とんでもない死に方の科学

二〇二一年三月一〇日　初版印刷
二〇二一年三月二〇日　初版発行

著者　C・キャシディー／P・ドハティー
訳者　梶山あゆみ（かじやま）

発行者　小野寺優
発行所　株式会社河出書房新社
〒一五一-〇〇五一
東京都渋谷区千駄ヶ谷二-三二-二
電話〇三-三四〇四-八六一一（編集）
〇三-三四〇四-一二〇一（営業）
http://www.kawade.co.jp/

ロゴ・表紙デザイン　粟津潔
本文フォーマット　佐々木暁
本文組版　KAWADE DTP WORKS
印刷・製本　中央精版印刷株式会社

落丁本・乱丁本はおとりかえいたします。

本書のコピー、スキャン、デジタル化等の無断複製は著作権法上での例外を除き禁じられています。本書を代行業者等の第三者に依頼してスキャンやデジタル化することは、いかなる場合も著作権法違反となります。

Printed in Japan ISBN978-4-309-46731-3

偉人たちのあんまりな死に方

ジョージア・ブラッグ　梶山あゆみ〔訳〕　46460-2

あまりにも悲惨、あまりにもみじめ……。医学が未発達な時代に、あの世界の偉人たちはどんな最期を遂げたのか？　思わず同情したくなる、知られざる事実や驚きいっぱいの異色偉人伝！

人間はどこまで耐えられるのか

フランセス・アッシュクロフト　矢羽野薫〔訳〕　46303-2

死ぬか生きるかの極限状況を科学する！　どのくらい高く登れるか、どのくらい深く潜れるか、暑さと寒さ、速さなど、肉体的な「人間の限界」を著者自身も体を張って果敢に調べ抜いた驚異の生理学。

解剖医ジョン・ハンターの数奇な生涯

ウェンディ・ムーア　矢野真千子〔訳〕　46389-6

『ドリトル先生』や『ジキル博士とハイド氏』のモデルにして近代外科医学の父ハンターは、群を抜いた奇人であった。遺体の盗掘や売買、膨大な標本……その波瀾の生涯を描く傑作！　山形浩生解説。

快感回路

デイヴィッド・J・リンデン　岩坂彰〔訳〕　46398-8

セックス、薬物、アルコール、高カロリー食、ギャンブル、慈善活動……数々の実験とエピソードを交えつつ、快感と依存のしくみを解明。最新科学でここまでわかった、なぜ私たちはあれにハマるのか？

脳はいいかげんにできている

デイヴィッド・J・リンデン　夏目大〔訳〕　46443-5

脳はその場しのぎの、場当たり的な進化によってもたらされた！　性格や知能は氏か育ちか、男女の脳の違いとは何か、などの身近な疑問を説明し、脳にまつわる常識を覆す！　東京大学教授池谷裕二さん推薦！

この世界が消えたあとの　科学文明のつくりかた

ルイス・ダートネル　東郷えりか〔訳〕　46480-0

ゼロからどうすれば文明を再建できるのか？　穀物の栽培や紡績、製鉄、発電、電気通信など、生活を取り巻く科学技術について知り、「科学とは何か？」を考える、世界十五カ国で刊行のベストセラー！

人類が絶滅する6のシナリオ

フレッド・グテル　夏目大〔訳〕　46454-1

明日、人類はこうして絶滅する！　スーパーウイルス、気候変動、大量絶滅、食糧危機、バイオテロ、コンピュータの暴走……人類はどうすれば絶滅の危機から逃れられるのか？

感染地図

スティーヴン・ジョンソン　矢野真千子〔訳〕　46458-9

150年前のロンドンを「見えない敵」が襲った！　大疫病禍の感染源究明に挑む壮大で壮絶な実験は、やがて独創的な「地図」に結実する。スリルあふれる医学＝歴史ノンフィクション。

解剖学個人授業

養老孟司／南伸坊　41314-3

「目玉にも筋肉がある？」「大腸と小腸、実は同じ!!」「脳にとって冗談とは？」「人はなぜ解剖するの？」……人体の不思議に始まり解剖学の基礎、最先端までをオモシロわかりやすく学べる名・講義録！

科学以前の心

中谷宇吉郎　福岡伸一〔編〕　41212-2

雪の科学者にして名随筆家・中谷宇吉郎のエッセイを生物学者・福岡伸一氏が集成。雪に日食、温泉と料理、映画や古寺名刹、原子力やコンピュータ。精密な知性とみずみずしい感性が織りなす珠玉の二十五篇。

女の子は本当にピンクが好きなのか

堀越英美　41713-4

どうしてピンクを好きになる女の子が多いのか？　一方で「女の子＝ピンク」に居心地の悪さを感じるのはなぜ？　子供服から映画まで国内外の女児文化を徹底的に洗いだし、ピンクへの思いこみをときほぐす。

スパイスの科学

武政三男　41357-0

スパイスの第一人者が贈る、魅惑の味の世界。ホワイトシチューやケーキに、隠し味で少量のナツメグを……いつもの料理が大変身。プロの技を、実例たっぷりに調理科学の視点でまとめたスパイス本の決定版！

服は何故音楽を必要とするのか?

菊地成孔　41192-7

パリ、ミラノ、トウキョウのファッション・ショーを、各メゾンのショーで流れる音楽＝「ウォーキング・ミュージック」の観点から構造分析する、まったく新しいファッション批評。文庫化に際し増補。

「雲」の楽しみ方

ギャヴィン・プレイター=ピニー　桃井緑美子〔訳〕　46434-3

来る日も来る日も青一色の空だったら人生は退屈だ、と著者は言う。豊富な写真と図版で、世界のあらゆる雲を紹介する。英国はじめ各国でベストセラーになったユーモラスな科学読み物。

植物はそこまで知っている

ダニエル・チャモヴィッツ　矢野真千子〔訳〕　46438-1

見てもいるし、覚えてもいる！　科学の最前線が解き明かす驚異の能力！　視覚、聴覚、嗅覚、位置感覚、そして記憶——多くの感覚を駆使して高度に生きる植物たちの「知られざる世界」。

犬はあなたをこう見ている

ジョン・ブラッドショー　西田美緒子〔訳〕　46426-8

どうすれば人と犬の関係はより良いものとなるのだろうか？　犬の世界には序列があるとする常識を覆し、動物行動学の第一人者が科学的な視点から犬の感情や思考、知能、行動を解き明かす全米ベストセラー！

犬の愛に嘘はない　犬たちの豊かな感情世界

ジェフリー・M・マッソン　古草秀子〔訳〕　46319-3

犬は人間の想像以上に高度な感情——喜びや悲しみ、思いやりなどを持っている。それまでの常識を覆し、多くの実話や文献をもとに、犬にも感情があることを解明し、その心の謎に迫った全米大ベストセラー。

猫

石田孫太郎　41457-7

幻の名著の初文庫化。該博な知識となにより愛情溢れる観察。ネコの生態のかわいらしさが余すところなく伝わり、ときに頬が緩みます。新字新仮名で読みやすく。

著訳者名の後の数字はISBNコードです。頭に「978-4-309」を付け、お近くの書店にてご注文下さい。